「知的生産力」というと、読者のみなさんはどんなイメージを持つでしょうか。

普通は、文章を書いたり、企画を考えたりといった、いわゆる「クリエイティブな仕事」をするために必要な力だと捉えられていることが多いと思います。

しかし、僕の考えは違います。

「知的生産力」は、決して、研究や出版、広告業界などの「クリエイティブな仕事」をする人たちだけに必要な能力ではありません。

経営者はもちろん、個人事業主やアルバイトであっても、営業であれ事務であれ、「知的生産力」は必要です。この能力を高めることで、仕事の成果を変えていくことができるのです。

なぜかというと、現代では、

- 報告・連絡・相談の場面や会議、ミーティングで自分のアイデアを話す
- メールやチャットで、打ち合わせや意見交換をしたり、自分の考えを正確に伝える
- 会話や新聞、雑誌、テレビだけでなく、ウェブからも自在に情報を集めて分析する
- ブログやミクシィ、ツイッターで商品をＰＲしたり、自分の考えを発信する

など、仕事のなかで「作った情報をやりとりする」場面が劇的に増えてきているからです。

「読む」「考える」「整理する」「表現する」といった知的生産の基本は、ビジネスのあらゆる場面で、ひっきりなしに使われています。

メールひとつでも、知的生産力があれば、自分の提案や意見を通したり、相手の理解を得やすくなります。

会議で「さすが」と言われるような意見を出せるかどうか、部下に仕事の進め方を教えたり、適切なアドバイスができるかどうかも、普段から、アウトプットを想定して仕事をしているか、言いかえれば、「知的生産」を意識しているかがカギになります。

知的生産力のあるなしは、ビジネスの成果に直結するのです。

さらに付け加えると、知的生産力は、仕事の成果を変えるだけでなく、**仕事の幅を広げていくためにも役立ちます**。

最近、会社の名刺に加えて、個人ブログのＵＲＬやツイッターのアカウントを書いた名

刺を持っている人が増えてきています（僕もよくいただきます）。積極的に社外の人と交流したり、人間関係を築くことで見聞を広げていこうというわけですね。

ブログやツイッターにアクセスしたとき、そこに面白いと感じるエントリやつぶやきがあれば、強く相手の印象に残ります。趣味や嗜好で共通するものが見つかれば、商談だけでなく人間関係もよりよいものにできるでしょう。どんどん顔を広げていくこともできる。

ＩＴが普及したことも知的生産力が重要になった一因と言えそうです。

ここまで例に挙げたように、知的生産力を使うケースは、説明資料やニュースリリース、企画書や議事録、業務日報、出張報告書など、内外向けの書類をつくる場面だけに限りません。

コミュニケーションや思考の整理、仕事の幅を広げたい場面でも、「知的生産力」があれば、確実に有利に物事が進められるのです。

普通のサラリーマンにベストセラーが書けた理由

実を言えば、僕自身、知的生産力を高めることをずっと考えてきたおかげで、納得でき

る成果を出し、しかも仕事の幅を広げることができました。

僕は、大学卒業後、中小の新聞社や出版社で記者として働いていました。

「記者」といっても、新聞の一面に載っているような大事件、大ニュースを扱うような仕事ではありません。専門紙なので、扱う内容は普通の人は誰も知らないような話ばかりです。しかも僕は、その末端分野の地方担当だったので、書けるのは、地方のイベントや中小企業の記事ばかり。スクープや特ダネとはまったく無縁でした。

仕方ない、といえばそれまでですが、僕にだって一応、「世間を賑わせる大きなニュースを扱いたい！」という思いがあるから記者になったわけです。

誰にも読まれない記事を書くことほど、つらいことはありません。

こういう場合、普通なら転職や上京を考えるでしょう。

しかし当時の僕は、自分の「知的生産力」をテコ入れしようと決めました。

その頃も、今と同じで求人は少なかったし、自分が面接試験で自分を売り込めるほど器用でないこともわかっている。

だから**「自分の力を頼りにするしかない」**と思ったのです。

まずは、定期的に当番が回ってくるコラムや雑感記事など、書き手の「腕」が出せる分

野に全力を注ぐことにしました。

ちょっとした話でも、できるだけ面白がってもらえるように、切り口や表現に、あらゆる工夫をする。そのためにさまざまな参考文献を読んだり、他人の文章を研究したりもしました。

効果は、三カ月ほどで表れました。

記事が載ると、これまではこなかった「よかった」「感心した」という反響が人づてに伝わってくるようになりました。感想のメールもどんどん届きます。

「なかなかいい視点だ」「ちょっと意見を聞きたい」という声もかかって、これまで会えなかったような偉い人とも会えるようになる。

大きな声では言えませんが、「専門外の分野であろうと、なんでも書けますよ」と言えたことで、アルバイト原稿の仕事も回ってくるようになりました。

記事にすることのネタ自体は相変わらず地味でしたが、料理の仕方がうまくなったのです。言い換えれば、情報を加工してアウトプットする**「知的生産力」で、記事の扱いの小ささ、ネタ自体の弱さ、人脈のなさなどを克服できた**のでした。

そして、二五歳のとき、最大の転機がやってきました。

ライター向けセミナーの講師として、大阪にやってきた作家のエージェントに、提出した課題の文章力と企画力が認められたのです。

これが発端となって、出版企画がスタート。第一作の『情報は1冊のノートにまとめなさい』（ナナ・コーポレート・コミュニケーション）は三〇万部を超えるヒットになりました。現在までに出した著書は四冊。おかげさまでほかの本も好評を頂いています。

「なぜ、普通のサラリーマンがベストセラーを書けたのか」

たまに、こう聞かれることがあります。

別に、特別なことは何もありません。留学したわけでも、すごい難関資格を取ったわけでもない。有名企業で鍛えられたり、特殊な人生経験をしたわけでもない。ちなみに断っておくと、「記者はみんな文章がうまい」なんてことはありません。

ただ、これだけは言えます。

「知的生産力を高める方法を、ずっと考えてきました」

「わずかな工夫」の積み重ねが知的生産の成果を大きく変える

では、具体的に、僕は知的生産力を高めるために何を考え、何をしたのか。

これこそ、タイトルの「知的生産力をアップさせる73のワークアウト」として本書で紹介することです。

「ワークアウト」とは、本来は「トレーニングする」などの意味ですが、最近は、ビジネスの現場でもよく「問題解決（の手段）」といった感じで使われています。

「知的生産ワークアウト」も、この言葉の持つ「筋トレのように続けることで効果が出る」「モヤモヤしていることがスッキリ解決する」というニュアンスから名付けました。

つまり、「知的生産ワークアウト」とは、

・情報を仕入れ、整理し、考えるところから、書いたり、話したりといった表現に至るまでのパフォーマンスを高め、その作業をはかどらせるコツや方法
・身につけた能力をいつでも一〇〇%発揮できるようにするために、時間や環境を上手に使う工夫
・日常生活に取り入れて続けることで、知的生産の基礎が身につくトレーニング

という感じで捉えておいてください。

この本では、僕が実践してきた中で、特に効果が高いと思う方法を「73のワークアウト」として、次の通り、三つのカテゴリに分けて紹介しています。

①発想からアウトプットをつくる……集めた情報から、自分だけの考えや発想を深めて、人に伝わるかたちにする

②生きた時間をつくる……モチベーションを上げたり、知的生産の作業に集中して確実に能力を発揮するための自己コントロール

③創造的な環境をつくる……情報やモノの整理、ワークスペースの環境づくりなどを通じて、知的生産を助ける「場」をつくる

純粋に知的生産だけを考えた場合は、①の「発想からアウトプットをつくる」だけで充

分と思うかもしれません。

しかし、①でいくらノウハウを知っても、実行できなければ意味がありません。②のテクニックで、うまく自分をコントロールしていつでも集中モードをつくり、③で、知的生産に適した環境をいつでもどこでも持てるようにしておく。

このように、**自分を二重三重に取り囲んでおくことではじめて、いつでもどこでも能力を発揮できる「現実的に〝使える〟知的生産の技術」となる**、と僕は考えています。

つまり、ノウハウを知っているだけではぜんぜんダメ。いつでもどこでも一〇〇％活用できる「自家薬籠中の技術」にしないと、意味がないのです。

本編の中で、商品名をいちいち挙げたり、テクニックを写真や図版で詳しく説明しているのも、読者のみなさんが、これらのＴＯＤＯをすぐに試してみて、継続することでいち早く「ワークアウト」してほしいからです。

知的生産力は、この本で書いたワークアウトを実践すれば、誰でも簡単に伸ばすことができます。まったく努力不要、というわけではありませんが、資格試験の勉強に比べれば、ゼロに等しいでしょう。

それに、ＩＴが普及した今、知的生産を助けるツールや環境は、低コストかつ手間をかけないで整えられるようになってきています。

多大なコストを支払って、資格試験や留学、転職に賭けるより、**小さなコストで「知的生産力」をしっかり身につけ、総合的な自分自身の仕事力を底上げする**。このほうが、より確実に、手っ取り早く、「抜きん出る」ことができると思います。

僕はこの本に書いたようなことを、会社から帰って寝るまでの間や通勤や移動の時間、バスタイム、眠る前など、主に空き時間を使ってこれまでやってきました。どんなに忙しい人でも、すき間時間を使ってできることを集めたつもりです。

準備するものは机とイス、ＰＣと文房具、それに少しのお金くらい。

誰でも思い立てば今日からでも始められます。

大きなことにチャレンジするだけが、成果を変える方法ではありません。**日常的なことに小さな工夫を加え、小さな＋αを積み重ねる。このようなアプローチで、結果的に大きな差を生むこともできる**のです。

まずは、本書に書いてある方法の中で、気が向いたものを試してみてください。そして最終的に、みなさんも「自分だけの工夫」を考えて、自分に最も適した「知的生産ワークアウト」をつくりあげてください。

前置きが長くなりました。さあ、さっそく本編に入りましょう。

二〇一〇年五月

奥野宣之

PART 1 発想からアウトプットをつくる

SKILL 1 インプット——生活の中で知識を補強し頭の基礎体力をつける——

Contents

SKILL 3

アウトプット――「型」と「道具」で自分を囲い込む――

Contents

PART 2 生きた時間をつくる

SKILL 4 目標と計画——「自分会社」の経営計画を持つ——

SKILL 5 時間管理——時間の空費をなくす——

SKILL 6

集中——「没頭状態」をつくる仕掛け——

Contents

PART 3

創造的な環境をつくる

SKILL 7

情報整理——生産性を意識しながら低コストに管理——

SKILL 8

モノ整理——モノの増殖をコントロールする——

SKILL 9

空間の活用——「場の力」を利用して快適に作業する——

Contents

PART 1

発想から アウトプットを つくる

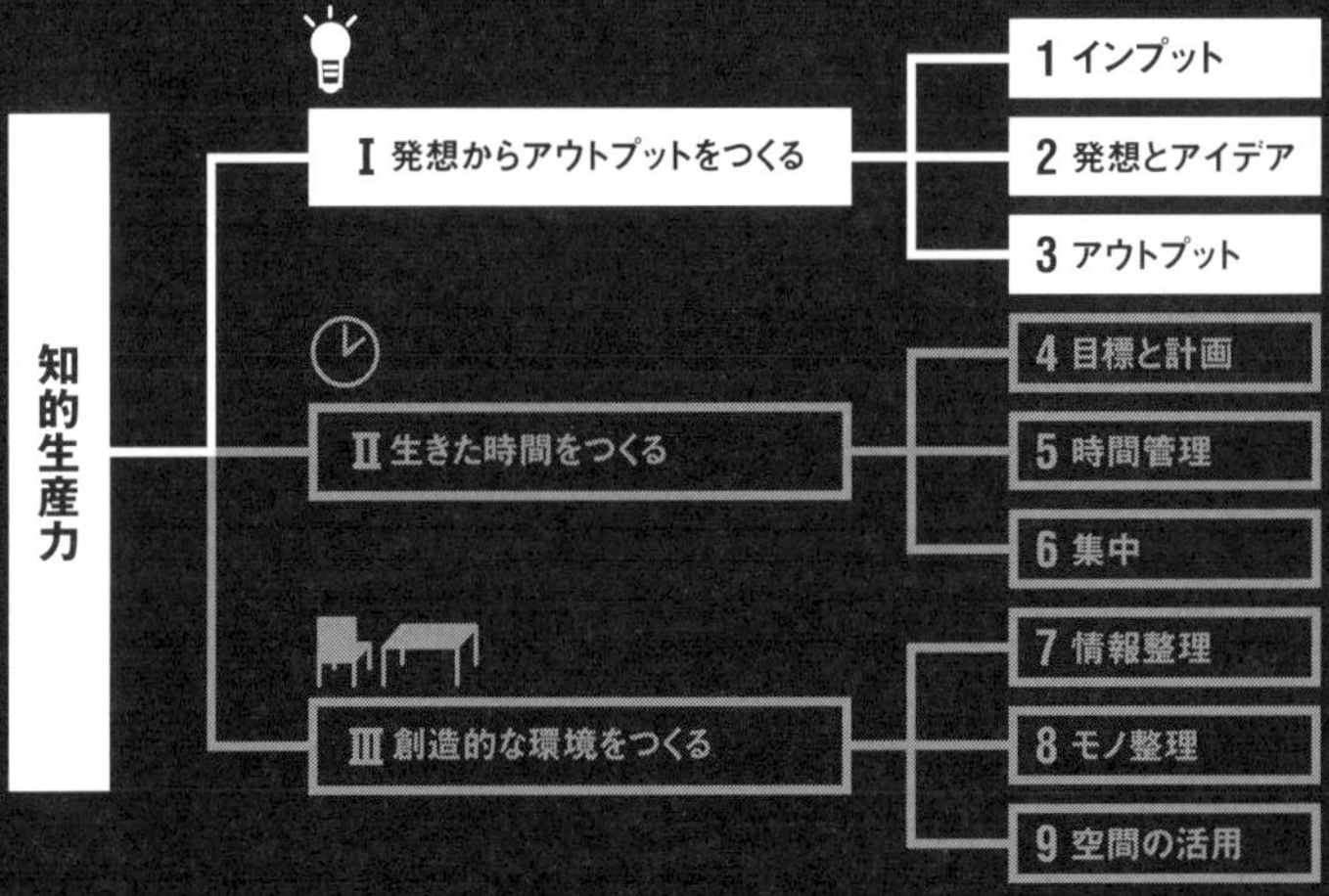

SKILL1

インプット

――生活の中で知識を補強し頭の基礎体力をつける――

To Do 01

起き抜けに朝刊は読むな。「一番影響を受けたい本」を読め

Results

好きな本がより頭に入り、より感化されることができる

「知的生産ワークアウト」の第一歩として、まず朝起きてすぐ朝刊を読むのはもうやめましょう。

起き抜けに読むものは、「自分が影響を受けたいと思う本」がベストです。

僕は、新聞を購読しているけれど、朝イチには読まず、休憩や移動中に読みます。

というのも、文章を読むということは、多かれ少なかれ、そこに書いてあることに影響を受ける。別の言葉を使えば、「伝染する」からです。

「景気回復まで道のりは遠い」という記事を読めば、知らず知らずのうちに、「そうか、日本の将来は暗いな」とすり込まれます。社会面を読めば、周囲が犯罪者だらけのような気がしてくる。

しかし、よく考えれば、このような情報は「新聞社という一企業の一編集部の見方」に

すぎません。

はたして毎日、朝一番に読むほど肩入れする価値のあるものでしょうか。

僕は、『読書は1冊のノートにまとめなさい』（ナナ・コーポレート・コミュニケーションのなかで、「読書とは煎じ詰めれば思考のタダ乗りだ」と書きました。本を読めば、自分の頭を使わなくても、考え抜いたあとのような爽快感を味わうことができてしまうのです。助手席でドライブを楽しむように。

だから、僕は本のなかで、「読んで、自分はどう思ったかのほうが大事だ」と言いました。よほど違和感を覚える話でない限り、情報を受け取ったとき、最も多くの人がする反応は「その通りに受け入れる」というものです。

「そうとも言い切れないんじゃないか」「いや、自分はこう思う」などと考えながら、批判的に読むにはエネルギーを使います。水が低きに流れるように、基本的には入ってくる情報に順応したほうが楽でしょう。

この情報に対する受動性に拍車がかかるのが、「起き抜け」だと、僕は考えています。

専門家によると、頭がよく働くのは、起きてから三、四時間後とのことです。ある程度頭が働かないと、能動的に読むことはできないから、「朝は影響を受けやすい」と言えます。

「起き抜け」という特別な時間には、新聞を無理に能動的に読もうとするより、**全面的に**

信頼している「感化されてもいい本」を、受動的に読むほうがいいのです。

僕は最近、起き抜けに愛読書の『漱石文明論集』（岩波文庫）を再読していますが、以前、普通に読んだときに比べて、心地よく頭に入ってくる感じがします。好きな小説や思想書を探しておくと、朝に読むことで効率よく吸収できると思います。

朝、本から仕事のプラスになるような影響を受けたいなら、松下幸之助などの経営者の本を読むのも、元気が出ていいでしょう。

To Do 02

読書は「これから体験すること」とリンクさせろ

Results

知識と体験の両面から学習効率をアップさせる

本を読んで効率よく知識を身につけるコツは、体験とリンクさせることです。

たとえば、出張で名古屋に行くなら、『ナゴヤ全書』（中日新聞）を買って前日までに目を通しておく。たったこれだけのことで、名古屋の地下街を歩いていても、

「本に書いてあったとおり、防空都市としてつくられているんだな」

街を歩く女の人を見ても、

「けっこう派手なのは、見栄を張る文化のせいかな」

などと考えるようになって、見聞きするものから、より多くの刺激を得られるようにな

る。予習しないで見た場合、「ふーん」としか思わないことでも、「あっ！　来る前に読んだ本に書いてあったやつはこれのことか」と、感じるようになるわけですね。

出張報告を書く場合だけでなく、朝礼で体験したことを紹介するとき、ブログに訪問記を書くときにも、「予習」しておくことでネタを大量に仕入れておけば有利になります。

また、現地の人と話をするとき、いい質問をしたり、うまく話を引き出したりするのにも、予習した知識は役に立ちます。インタビューと同じで、ある程度、地域のことを含めて相手の情報を頭に入れてから質問しないと、相手は真剣に答えてくれないからです。

僕は石垣島に行く前には『日本の国境』（山田吉彦／新潮新書）、スペインに行く前には『スペイン5つの旅』（中丸明／文春文庫）などを読んで、「予習」してから行きました。

国内出張なら山川出版社から各都道府県別に刊行されている『歴史散歩』シリーズが便利です。観光ガイドブックより、歴史や文化について詳しく触れられているので、よく知っている地域のことでも新鮮に感じるでしょう。

仕組みとしては、バスガイドから車中で予備知識を入れておくと名所旧跡を興味深く観察できるのと同じですね。「到着したら、ぜひ鴨居の装飾をご覧になってくださいね」と、あらかじめ目のつけどころを教えてくれるガイドさんのように、本を使うのです。

予習の対象は、名古屋や石垣島などの「場所」に限りません。

シチュエーションでもいいのです。

たとえば新幹線に乗る前に、『新幹線不思議読本』（梅原淳／朝日文庫）や『東海道新幹線歴史散歩』（一坂太郎／中央新書）を読んでおく。

これで**「体験した情報」と「読んだ情報」が、互いに参照されるようになります**。ただ読む、またはただ体験するより刺激的で記憶に残るインプットができるし、景色や体験から「発見」をする可能性もぐんとアップします。ただの出張が「体験取材」になるわけですね。

出張や旅行の予定がない人には「食材辞典」を買っておくことを勧めます。食事なら、誰でも毎日、体験するからです。

『カラー完全版　日本食材百科事典』（講談社＋α文庫）が、手軽で便利です。これを食卓に常備しておき、食卓にあがった魚や野菜を調べてから食べます。すると、

「この野菜は今が旬だけあって、おいしい。安かったのは産地が近いからだろう」

というように**体験に即した知識を身につけることができます**。

『日本食材百科事典』だけでなく、その他の百科事典を合わせて引けば、

・椎茸の原産地は？

・ヒレ肉とは牛のどの部分か？
・ハムとソーセージの違いは？
・アジの旬は？

など、食卓で浮かぶ疑問はすぐに解消することができます。

ジャンクフードばかり食べている人でも、

・ゲル化剤とは何か？
・カラメル色素とは？
・弁当の歴史は？

など、原材料名を見ればいくらでも調べることは出てくるでしょう。

こんなことでも調べてから食べれば、食事も体験取材の一部になります。

食べ物の知識を持っておくことは、話のネタとしても便利です。食材の話は居酒屋などで、健康や添加物のネタは女性と話すときに使えます。

ゴルフの話はゴルフをしない人には通じないけれど、食事をしない人はいません。ネタとしていろいろな場面につぶしがきく「使える知識」を得られるのです。

写真01 「予習」に使える本

CHECK！
体験する前に読んで効率よく知識を身につける

写真02 食卓に「食材事典」を置いておく

CHECK！
調べてから食べることで知識が身につく

To Do 03

カバンには常に一冊、「硬い本」を入れておけ

Results
読める本が広がることで幅広くネタが集められる

通勤や通学のときにおすすめしたい工夫は、持ち歩く本に、一冊だけ「硬い本」を追加することです。

知的生産力をつけるために、まずは、推理小説のほかに一冊、ビジネス書のほかに一冊と、最低でも二冊はカバンに入れて、毎日、会社や学校に行ってみてください。

「硬い本」とは、僕の呼び方で、古典や学術書など、なかなかすらすらとは読めない本のことです。人によってその基準は違うでしょうが、僕なら、**岩波文庫や中公クラシックのような古典**がそれに当たります。

マーケティングの本や経済書、歴史小説など、みなさんも一つや二つ、「読む必要は感じているけれど、読み出すと難しくて投げ出してしまう」という本があるでしょう。

そんな**「硬い本」をカバンに入れて、一日一回は開いてみるようにする**のです。で、一ページでも、一行でもいいからとにかく読む。あるいはパラパラとめくって気になったところを見る。

電車に乗っている時間を使うのが一番いいと思います。しおり代わりの透明ポストイッ

トを読み終わったところまで縦に貼っておくと、どの行まで読んだかがすぐにわかるので便利です。

言ってしまえば、難しくて読みにくいけれど、どうしても読みたい本を読みこなすコツは、「**半年でも三年間でも、とにかくカバンに入れておくこと**」なのです。

「硬い本」に触れることを習慣にすると、徐々に読みにくい文体やリズムに慣れて、だんだん読み進められるようになっていきます。

さらに、巻末の解説や序章などの読みやすい部分だけを、開いて眺めたりして、さわりだけ読む、しばらくすると話の流れを忘れるのでまた繰り返し読む。または、カッコの中やわかりやすい部分だけを拾い読みする。

このように「慣れ」をたとえ一滴ずつでも溜めていれば、**あるとき溜まった水がコップからあふれ出すように、すらすら読んで理解できるようになります**。

ところで、なぜそこまでしてビジネスマンが「硬い本」を読む必要があるのか、という疑問もあるでしょう。

僕の考えは、「文章を読んで考える」という回路を維持すると同時に鍛えて、**「読める本」を広げていくため**、というものです。

図01 硬い本を読みこなせると読める本が広がる

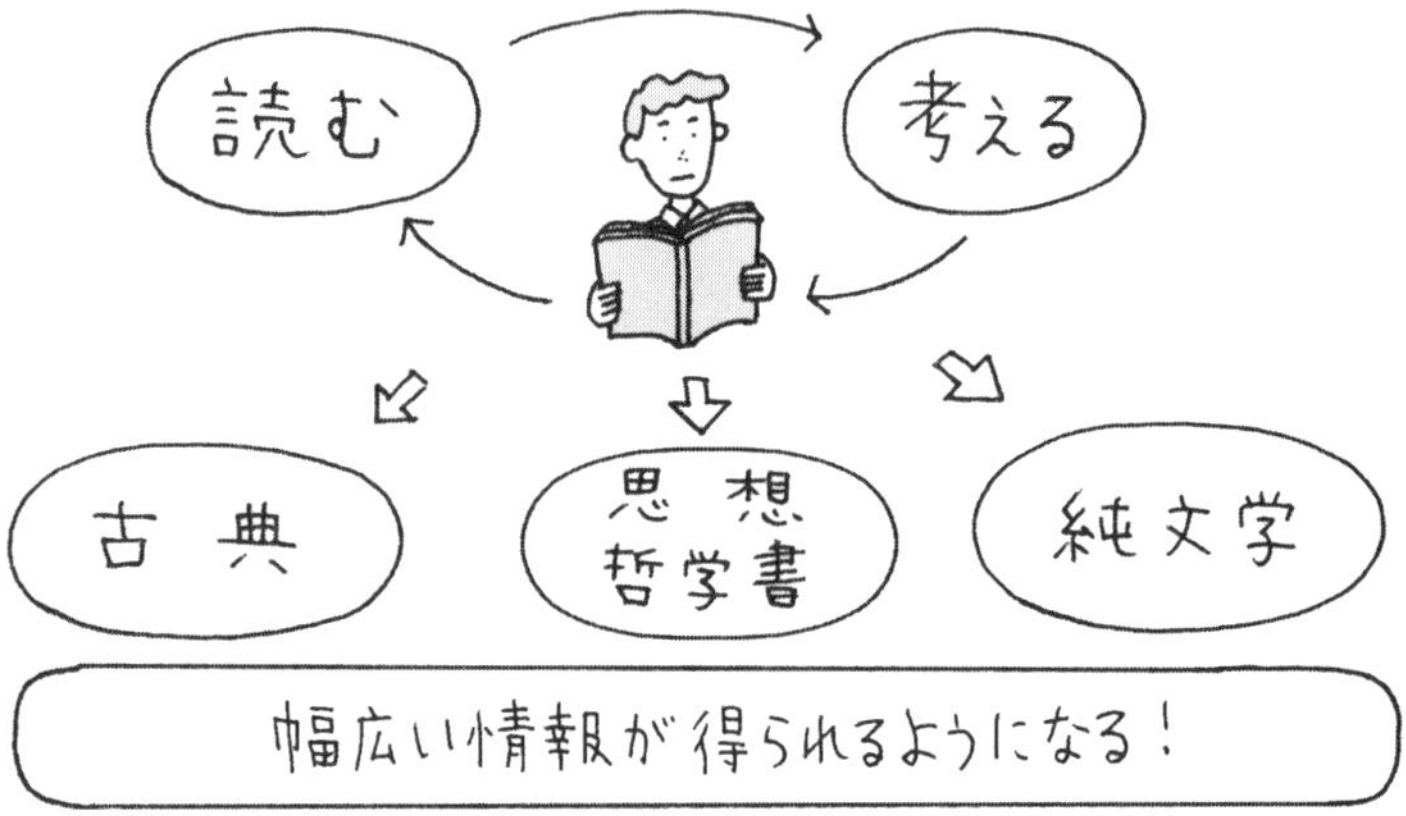

　近年の新書やビジネス書は、ぼんやり読んでも理解できるよう親切に書かれています。少なくとも「何を言っているのかよくわからない」ということはありません。

　しかし、これに慣れすぎると「何度も文章を読み返して考える」ということに耐えられなくなってくる。これでは「読める本」は狭まる一方で、最終的に、最近出た本しか読めなくなるのです。

　対して、「硬い本」が読みこなせると、古典をはじめ純文学、思想書、哲学書でも、なんでも読書の対象になるので、**幅広い情報に触れられるようになります**。

　今売れている本には書かれていないことが、昔の本に書かれていることもよくあるので、**本で問題解決したり、読んで考えた**

ことをネタにできる可能性も高くなるのです。

だから、まずは「頭のお守り」と考えて、常に一冊、「硬い本」を持ち歩くようにしましょう。英語ができる人はたくさんいても、難解な本を読みこなせる人はそうそうはいません。幅広い知識があれば、他の人と話を合わせやすいだけでなく、話に説得力が出せます。読解力や表現力も他の人より強くなるでしょう。

人に話をするときでも、書いたものを読んでもらうときでも、**ウケるためのコツは「その人が知りたいことで、かつその人がまだ触れていない情報を伝えること」**です。

硬い本は、大きな書店で簡単に入手できるわりに、あまり読まれていないので、**情報源としてはとても「使える」**のです。

ただ、そうは言っても「まったく興味が持てない本」は、無理矢理に読む必要はありません（というより、どんなにがんばっても読めないでしょう）。

たとえば、坂本龍馬が好きだから『海舟日記』を読んでみるとか、アートに興味があるから『茶の本』を読んでみる。あるいは、高校のとき、授業で先生が説明してくれたニーチェの思想が今でも気になっているから岩波文庫で『ツァラトゥストラはこう言った』を買ってみるとか、あくまで「（憧れや見栄も含めて）読む動機がある本」を選んで、とりあえずカバンに放り込んでみてください。

写真03 筆者が持ち歩いている「硬い本」

CHECK!
毎日、開いてみることでだんだん読めるようになる

持っていれば、カバンを開くたび、本が存在を主張するので、「読んでみるか」というタイミングが必ず来ます。このあたりの仕組みは「積ん読」みたいなものですね。

仕事でミスをして気分が沈んだとき、電車が事故で止まったとき、眠れない夜など、「難しい本をちょっと読みたい」と思う場面は必ず出てきます。日ごろからそのときに備えておくことが大切です。

To Do 04

難読本は「カレンダーにノルマ方式」で少しずつ読み溶かせ

Results

「強制的な慣れ」をつくることで確実に読みこなせる

「毎日持ち歩いても、なかなか読み進められない」

「重たい本なのでカバンに入れて持ち歩くことができない」

では、このような場合にはどうすればいいでしょうか。言い換えるなら、どうすれば、自然に読めるようになるのを待たないで、読みにくい本を読み進めることができるのか。

僕は、とてもシンプルな方法を使っています。

それは、**二週間から一カ月くらいの読書計画表をつくって、その通りに読むこと**。

まず、38ページの図02のように、**チェック式の進捗予定表をつくる**。

それを、表紙の裏などに糊で貼っておき、毎日読み進めてチェックしていく。

仮に三〇〇ページの本なら、一日一〇ページ読めば、三〇日で読み終わります。四三七ページの本なら、だいたい一日一六ページ。こんなふうに電卓で単純に割ります。

実際には、本というものは、目次などがあって、九ページ目から本文が始まっていたりします。だから、仮に三〇〇ページの本を、一日一〇ページのノルマで読むなら、

□2月2日（1日目）……9～18ページ

□2月3日（2日目）……19～28ページ
□2月4日（3日目）……29～38ページ

と、中途半端な数字が並ぶことになる。

本文が九ページ目から始まる場合、正確には一日のノルマは、291÷30＝9・7となって、どこかで帳尻合わせが要りますが、気になる人はエクセルのオートフィル（数値を勝手に入れてくれる機能）を使ってつくるといいでしょう。

なぜ、章や節でなく、単純にページ数で割るか。

最大の理由は、時間が読めるようになるからです。たとえば、一〇ページ読むのにいつも三〇分かかるなら、スケジュール表に「ノルマ本を読む」と書き込むこともできるし、歯磨きや風呂と同じように、判で押したような「習慣」にもしやすい。さらに、

「寝る時間まで三〇分あるから、今日のノルマ分を読もう」

「普通電車で座っていけばちょうど読み切れるな」

「一五分後に来客が来るまで、半分こなそう」

「今日は三〇分、長風呂しながら読もうっと」

なんて目算も可能になります。

それに読み進めながら「キリのいいところ」を探すといった余計な労力を使わないで済む。

図02 ノルマ方式で強制的に本を読む

「理解しやすい政治・経済」を3週間で読む

日数	日付	曜日	終ページ	済
1日目	4月6日	月	26	
2日目	4月7日	火	36	
3日目	4月8日	水	46	
4日目	4月9日	木	56	
5日目	4月10日	金	66	
6日目	4月11日	土	76	
7日目	4月12日	日	86	
8日目	4月13日	月	96	
9日目	4月14日	火	106	
10日目	4月15日	水	116	
11日目	4月16日	木	126	
12日目	4月17日	金	136	
13日目	4月18日	土	146	
14日目	4月19日	日	156	
15日目	4月20日	月	166	
16日目	4月21日	火	176	
17日目	4月22日	水	186	
18日目	4月23日	木	196	
19日目	4月24日	金	206	
20日目	4月25日	土	216	
21日目	4月26日	日	226	

写真04

本の表紙をめくったところに貼っておく

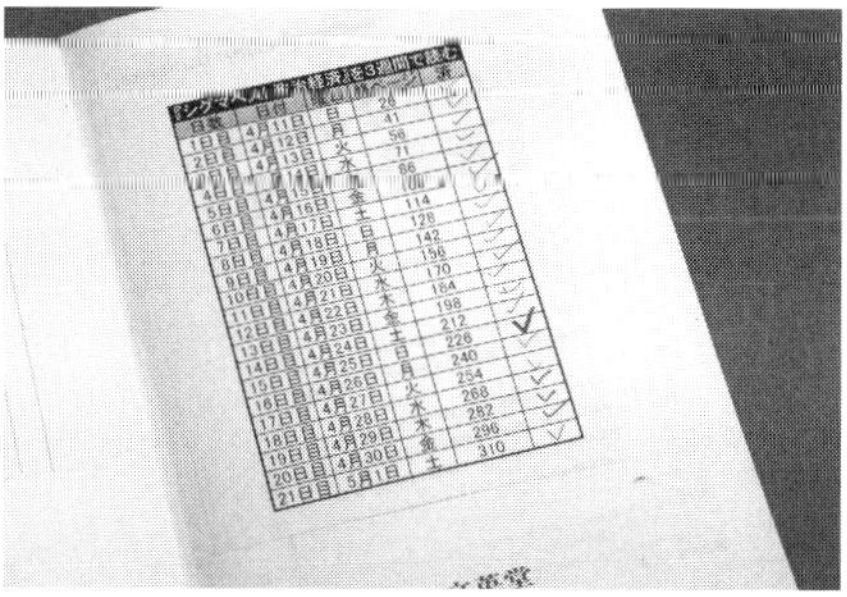

CHECK!

集中できなくてもノルマをこなしてチェックを入れていく

要するに、この計画表をいったんつくってしまえば、「ロボットのように所定のページまでめくって目を通せばいい」ということになる。**「難しい本を毎日コツコツ読んでいく」という意識を持つより、ずいぶん楽に感じる**のです。

後述する『シグマベスト』（文英堂）はこの方法で読みました。ほかにも、苦手な数字やグラフが読めるようになるために『日本国政図会』（矢野恒太郎記念会）を読んだり、現代史の流れをおおまかに頭に入れるため、古本で買った『昭和二万日の全記録』（講談社）にすべて目を通したりしました。

もちろん、この方法で読んだことすべてが頭に入るわけではありません。

しかし、それでも**会話や文章の幅は予想以上に広がる**。教養がついた、とまでは言えなくても「頭の中の霧」が晴れたような感覚はあります。

期限は、長くても三カ月以内、一日のノルマ量は一〇ページくらいにしておいてください。「読みたくない本を読む」という作業は、慣れるまでは意外とハードだし、もっと読みたくなればそのときにノルマを上げればいいだけの話です。

眠くても、酔っぱらっていても、まるで頭に入ってこなくても、とにかく目で字を追って、形式的にでもノルマをこなす。それでよしとしてください。このことは、計画を破綻させないで「慣れ」をつくるために重要なことです。

To Do 05

枕元には「ごっつい本」を置いて毎日開こう

Results

大型の図版本を使いこなして効率的に知識を補強できる

朝起きて読むのが「好きな本」なら、反対に枕元には「ごっつい本」をキープしておきましょう。写真にあるような、「○○大事典」「○○全史」「○○大全」「○○大図鑑」などの大型本ですね。

このような辞書・事典類を枕元に置いておき、寝る前にパラパラと拾い読みする。また、昼間に読んだことや話題に上ったことなど、メモや手帳を見ながら今日得た情報を思い出し、関連項目を調べてみるわけです。

「来週、出張で行くことが決まったから、韓国の歴史を見ておこう」
「今朝の新聞コラムで紹介されていた伊藤若冲ってどんな人だったんだろう」
「今日社長が言ってたことわざって、あの解釈で正しいのかな」

こんなちょっとした関心や疑問を寝る前の一五分くらいでちょっと調べる。

すると、疑問を解消するだけでなく、**新聞やニュース番組では手に入らない基礎的なインプットができます。話の「引き出し」も自然と増えていく**わけです。

社会人の知識は、学校で教わった基本的な歴史や科学、文学などと、仕事で扱ったこと、大学で研究したことがメインです。だから、自分の専門外のことは、高校生レベルと

写真05

大型本も枕元に置けば活用できる

CHECK!
大事典のたぐいは古本屋で買うのがベスト

ほとんど知識の差がない、または、高校生のほうがよく知っている、という状態になることはよくあります。

もしそうだったとしても、**大型本で、日常的に少しずつ知識の補強を進めておく**と、たとえば、歴史の話になったときでも、「名前だけは聞いたことがあるんですが……」などと情けないことを言わずに、会話を膨らませていくことができます。

また、大型本を置いておけば、枕元の本をとっかえひっかえする必要もなくなるので、布団の中で読むものが欠かせない人には特におすすめです。

この方法のいちばんのメリットは、なかなか使いこなせない大型本を活用できることでしょう。

大型本は、せっかく買ってもなかなか開く機会がありません。いや、機会はあるのだけれど、わざわざ引っ張り出す気になれない。つま先に落としでもしたら、通院は免れませんからね。その点、布団の上で開けば安全です。

僕が古書店で『クロニック世界全史』（講談社）を買ったときは、しばらくは掘り出し物を見つけたと喜んでいたものの、やがて四キロもある重さに呆れて、開く気がしなくなりました。

ところが、これを、枕元に置いてみると、なんだかんだで、二、三日に一回は開くわけですね。「アクセスの良さ」がいかに肝心かわかりました。

パラパラとめくっていれば、気になっていることのほかに、「おや？」と思う記事を見つけることもあります。最近よく言われる**「いい情報を偶然につかまえる力（セレンディピティ）」**も高まるわけです。

枕元に置く「ごっつい本」は、どんなことでも調べられるように、総花的なものを選ぶといいでしょう。

『広辞苑』（岩波書店）は、国語辞典だけではなく漢字辞典や百科事典、人名辞典も兼ねているのでかなり使えます。ほかにも、『現代用語の基礎知識』（自由国民社）、世界史・日本史の参考書や資料集など、身近にある本でＯＫです。日常的に疑問をつぶしていけば、新聞やニュースでは扱われない大本の知識が身につきます。

最近は「世界史を一冊にしました」といった全集系の大型本は、書店であまり見かけなくなりました。百科事典と同じように、デジタル化の流れにあるのでしょう。今のうちに確保しておかないと手に入らなくなると思います。

To Do 06

高校生向けの「政経」の参考書を使って勉強しよう

Results

常識力アップでニュースや時事ネタの話がより理解できる

新聞の経済面や政治面を読んでもどうもピンとこない、取引先や上司との世間話くらいは理解できるものの、ちょっと込み入った具体的な話になるとついていけない。「確かにそうですね」なんて相づちは打っているけれど、どうも大人として情けないような気がする。

こういった悩みにてきめんに効くのが、高校社会の科目「政治経済」のおさらいです。文字通り、政治と経済の基礎知識を、無駄なく、効率よく頭に入れることができます。

書店の「大学受験コーナー」で、最新の参考書を買いましょう。高校生のころ使った政経の教科書や中学の公民の教科書も使えなくはないけれど、ここ数年で経済構造も変わっていれば、新しい省庁もできました。やはり最新のものがベストです。

実を言うと「ニュースがピンとこない」というのは僕の話です。周囲がみんなそうだったので、受験の選択科目は、世界史と日本史を選びました。その上、文学部に進んだので、政治経済はほぼお留守のまま、この歳になってしまったのでした。

と、問題を感じていたら、作家の佐藤優さんが著書の中で、参考書の『シグマベスト』の政治経済を勧めていたので、買ってみることにしました。

実際に読み進めて思ったのは、**「受験用参考書はコストパフォーマンスが高い」**ということです。シグマベスト『政治・経済』は一八九〇円。単行本とほとんど変わらないのに、オールカラーで、図版や写真もたくさん入っている。高校生にはもったいないくらいです。

しかも、この一冊の中に、古代から現在までの政治と経済の概略がすっぽり収まっているわけです。文章にも無駄な装飾がないから、**情報密度が高い**。

高校生のように受験するわけではないので、僕は自分で**「なるほど」と思ったところだけに、赤ペンで線を引きながら読みました**。たとえば、

> 日本政治で政党が機能しない理由は以下の三点にまとめられる
> ①資金不足なので圧力団体との癒着が避けられない
> ②政策論争より派閥争いを優先するので常に資金不足に陥る
> ③高級官僚を立候補者としてスカウトするので組織が官僚化する

といったことです。このような「まとまった知識」を再確認しておくことで、僕は、速

やかに学生時代にできてしまった**知識の欠落を埋めて、最近の政治問題や経済ニュースがよりスムーズに理解できる**ようになりました。あまりにも効率よく学び直しできるので、世界史と地理の参考書も買ったくらいです。

「政治経済」の復習は、社会人として知っておきたい法律や行政、経済の知識などの常識力を、確実に強化してくれます。僕のように受験に関係のない科目はまったく勉強しなかった人もいれば、忘れてしまった人も多いでしょう。早めに復習しておけば、確実に周囲と差がつきます。

写真06 シグマベストの参考書

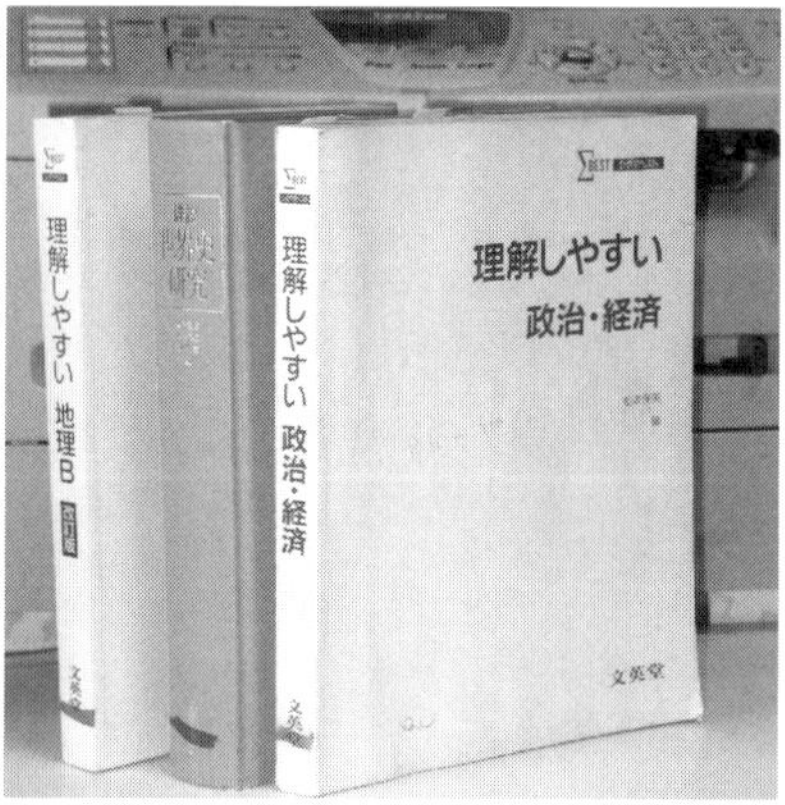

CHECK!
社会人が学びなおしをするのに最適な教材

To Do 07

三省堂「聞く教科書」シリーズで「聞き流し学習」しよう

Results

無意識のうちに効率よく基礎固めでき、「常識力」がつく

さっきは政治経済の参考書を勧めましたが、どうしても読書時間がとれないときには、オーディオブックで教科書の朗読を聞くのもおすすめです。

アップルの「アイチューンズストア」やオーディオブックの「ＦｅＢｃ！」では、三省堂の『聞く教科書』シリーズがダウンロード販売されています。これは、高校の日本史、世界史、政治経済などの教科書を朗読した音声ファイルです。

僕は『聞く教科書』の政治経済をｉＰｏｄに入れて、四六時中聞き流すという生活を一カ月近くしたことがあります。

真面目に聞かなくても、**いつの間にか部分的に暗唱できるくらい記憶に定着しているの**には驚きました。

オーディオブックだけでなく、併せて教科書や参考書も読み進めることで、目と耳から同時に攻めるという手も使えます。こうすれば、先ほど紹介した『シグマベスト』を読んでいても、

「あっ、この『多数者による圧政』というのは三省堂の『聞く教科書』でも言ってたな」と気がついたりするので、より知識が定着しやすくなります。

写真07 ダウンロード販売されている「聞く教科書」

CHECK！
iPodに入れて聞き流すだけでも効果がある

何かを継続するときのコツは「努力が報われている」という感覚、すなわち「自己効力感」を出していくのがポイントです。

耳からインプットしたことに再度出会うというのは、「聞いた甲斐があった」と思うので、気持ちがいいわけです。

普通の本は、読みやすいのでオーディオブックでなくてもインプットできます。対して、教科書は「楽しく読ませよう」というサービス精神が一切ないので読みにくい。**オーディオブックという媒体で取り入れるのに最適のコンテンツ**なのです。

教科書の文章は、聞いていて心地よいものではありませんが、専門家が選んだ必要最小限の言葉でできています。暗唱するくらい聞き込んでしまうのも、社会人の常識を学び直すためにはいい方法でしょう。

To Do 08

ネットカフェに一時間こもって雑誌をザッピングしよう

Results

情報の出会いに「まとまり」と「偶然性」を加味できる

僕は、情報がいくらでも手に入る現代に必要となる心がけは、「決してダラダラとインプットしないこと」だと思っています。**短時間で集中的にインプットし、時間がきたらすっぱりやめる。**深追いはしない。これができないと、アウトプットからどんどん遠ざかって、しまいには情報中毒者になってしまいます。

ただし、ウェブ検索で誰もが時間を無駄にしてしまうように、「時間で区切る」のは、意志だけでは難しい。「早く終わらせないと!」と思うような、**何らかの「強制装置」に頼ったほうが、うまくいきます。**

かくいう僕も、ネットを見たり書店で本棚を眺めたりすると止まらないほうで、困っています。そんな自分が、いろいろ試してみて一番いいと思ったのは、ネットカフェで雑誌を一括チェックすることです。

僕は週一回、近所のネットカフェで雑誌を一気読みしています。購読していない週刊誌や月刊誌を二〇冊くらい、一時間限定で、指サックをつけてめくっていきます。

このとき、机にノートを広げておき、気になった記事の、①タイトル②雑誌名③ナン

図03 週1回、1時間限定で雑誌をネットカフェで一気読みする

バーを、さっとメモしておく。

ざっと読んだだけでは満足せず、もっとじっくり読みたい記事や手元に置いておきたい特集があれば、書いたメモを元に書店に買いに行きます。つまり、ネットカフェを雑誌のザッピングに使うわけですね。出版社には申し訳ないけれど、活字メディアから効率よく情報を拾うために、この方法が便利なのは間違いありません。

なぜ雑誌を読むのかというと、ウェブより「まとまった情報」が効率よく手に入るからです。たとえば「各社のデジカメの機能」をざっと比較検討したいなら、ウェブ上にある情報をいちいちクリックして見ていくより、グッズ系雑誌の「冬のボーナスで買いたい最新デジカメ　徹底比較」といった特集を見たほうが早い。それに検索

と違って、偶然にいい情報に出会うこともよくあります。

その上で、もっと詳しい情報が欲しければ、商品名などを検索キーワードにして、メーカーのサイトや「デジカメウォッチ」「カカクコム」などで確認する。

要は、「メディアを使い分けしたほうが、ウェブや新聞だけを情報の入り口にしている人より、効率的に広く情報に触れられる」ということです。

「雑誌の一気読み」で肝心なのは、**何が何でも一時間で終わらせる**こと。そのためには時計をちらちら見ながら見終わる速度でページをめくっていくのが肝心です。これさえできれば、たくさん雑誌が置いてある喫茶店や図書館でも同じことができます。

To Do 09

「行きつけの古本屋」を持っておけ

Results

昔の本からの情報も仕入れることで「レアなネタ」をゲット

僕は、**「ビジネスパーソンには行きつけの古本屋が必要だ」**というのが持論です。

といっても「神保町にある古書店の店主と顔なじみになれ」とか、「高価格なレア本を探せ」とかいう話ではありません。商店街や駅前にある街の古本屋、それも見あたらなければ「ブックオフ」でもいい。

そういったどこにでもある古書店をときどきのぞくだけで、新刊書店と付き合っている

だけでは味わえない利点が得られるからです。

ひとつ目のメリットは、あまりお金をかけず、いろんな本に触れられることです。面白い本を探すのは、基本的に宝くじと一緒です。単純にたくさん買って、つまらなかったら読むのをやめて、さっさと次に当たるほうが、トータルとして読書体験は豊かなものになります。

さらに、「目利き」になってその当選確率を上げるためには、乱読が不可欠です。大量の本に当たっていれば、だんだん本が速く読めるようになるし、**面白い本を見抜くカンをつかむこともできます**。

古書店通いの二つ目の利点は、昔の本に触れられることです。いくら大量の本が並んでいようと、新刊書店には基本的に「今売れている本」しかありません。だからよほど大きな店でない限り、棚を見たところで最近出た本にしか出会えない。

対して古書店なら、数年前の本から数十年前の本まで、売れた本も売れなかった本も平等に並んでいます。

「今売れているいろいろな本」

という「横」の広がりを持つ新刊書店に加えて、
「過去に出たいろいろな本」
という**「縦」の広がりを持つ古書店というチャネルを持っておく**。

それだけで、自分が生まれる前の本や子供のころに出た本、気になっていたけれど書店で手に取る機会がなかった本など、多様な情報に触れるチャンスが出てきます。

それらの本は最近出た本に比べて、現在、他の人がアクセスする可能性は低いので、**他人とカブらない良質な情報ソースになります**。

僕は家の近所の古本屋に、毎日のように足を運んでいます。ここは定期的に棚の本が全部入れ替わるので、古本ファンの間では有名な店です。この古本屋で買った本に加えて、棚を見ながら考えたことは、著作や講演のネタにかなり生かされています。

仕事のヒントを求めて新刊書店に行った結果、「おや」と思う本がなかったとしても、古書店にはあるかもしれません。

「過去に出たものが多く残っている」というのは、本というメディアの圧倒的な強みです。それを生かすためにも、古本屋という選択肢は必ず持っておくべきでしょう。

To Do 10
古本屋で「辞書」「事典」を安く買いそろえろ

Results
ちょっとした疑問を「気軽な辞書引き」で発展させ、発見する

辞書というものは、使ってナンボです。

だから、いつでも手に取れるようにアクセスは限界まで良くしておく。極端なことを言えば、一部屋にひとつくらい用意して、いつでも引けるようにしておいた方がいい。

不思議に思ったり、もっと詳しく知りたいと思うのは、何かを考えるきっかけになります。でも、気になったときに、「後で調べよう」とやっていると、せっかくの関心はどこかへ行ってしまう。さらに、

「辞書はこの仕組みをどんなふうに説明しているかな」

「この漢字は、きっとこういう由来があるんだろう」

「これが発明されたのは確か一六世紀だったはず……」

と、頭を回転させ「きっとこうだろう」「こうだったら面白い」という**仮説をつくる貴重な機会も失う**ことになります。

仮説がなければ辞書に載っていることを見て「意外だった」と発見することもない。情報から刺激を受けてアイデアが出る可能性も低くなります。

辞書を**「発想を得るための装置」と考えれば、数冊買うのにかかるお金は、とても見返**

りの大きい投資と言えるのではないでしょうか。

ただ、辞書は、大型本であれ電子辞書であれ、値が張る。「何冊も買って手荒に扱う」のには抵抗を感じる人も多いでしょう。

そんな人は、古書店に行ってみてください。版の古い『広辞苑』などが、何冊も売られているはずです。

僕は去年、近所の古書店で二〇年前の『日本語大辞典』（講談社）を七〇〇〇円で買いました。この辞書は、新品で買うと約八〇〇〇円。財布から出ていくのにかなり抵抗を感じる値段です。

高い金を払って辞書を買うと「丁寧に扱わなきゃ」という気が、知らず知らずのうちに起きてきます。こういう考え方は、辞書を後生大事にしまいこんでしまって、活用しないことにつながる。使うために買ったというのに、本末転倒と言うほかありません。

しかし、一五〇〇円の辞書だったらどうでしょう。

まず、**気軽に買うことができます。それに、もともと汚れているので、丁寧に扱うこともない。結果として、十全に機能を使える！**　これほどコストパフォーマンスのいいものを、僕は知りません。

大枚をはたいて新品を買うより、古本のほうが使い倒すことができていいのです。

まわりに古本屋がない人は、「ヤフーオークション」を使うのも手です。『日本語大辞

典』のほかに、『大辞泉』（小学館）など、カラービジュアル付きの総合辞典だと、言葉や歴史など、たいていの調べものに使えて重宝します。

辞書の箱とカバーは、必ず捨ててください。

これもアクセスを限界まで良くするためです。

箱は出したりしまったりするのが面倒で、使うときの障壁でしかありません。

カバーが付いていると、持ち上げたときにすべって足に落とすかもしれないので、これもまた不要です。外して捨ててください。

こうすれば、実用にかなった**「抜き身」の辞書**ができあがります。これを、オフィスや家の中のいつでも手に取れるところに置いておく。

これで、ふと疑問に思ったことを調べたりするのは簡単になります。パソコンをスタンバイから復帰させて、ウェブ検索するより早いくらいなので、活用度はぐっと高まるでしょう。

僕は最近、可能なときは、パソコンにインストールした百科事典や電子辞書でなく、紙の辞書を引くようにしています。

紙の辞書だと、見たこともないような言葉が偶然、目に入ってきます。それを読むのが意外と刺激になるわけですね。

図04 アクセスをよくするために辞書の箱とカバーは捨てる

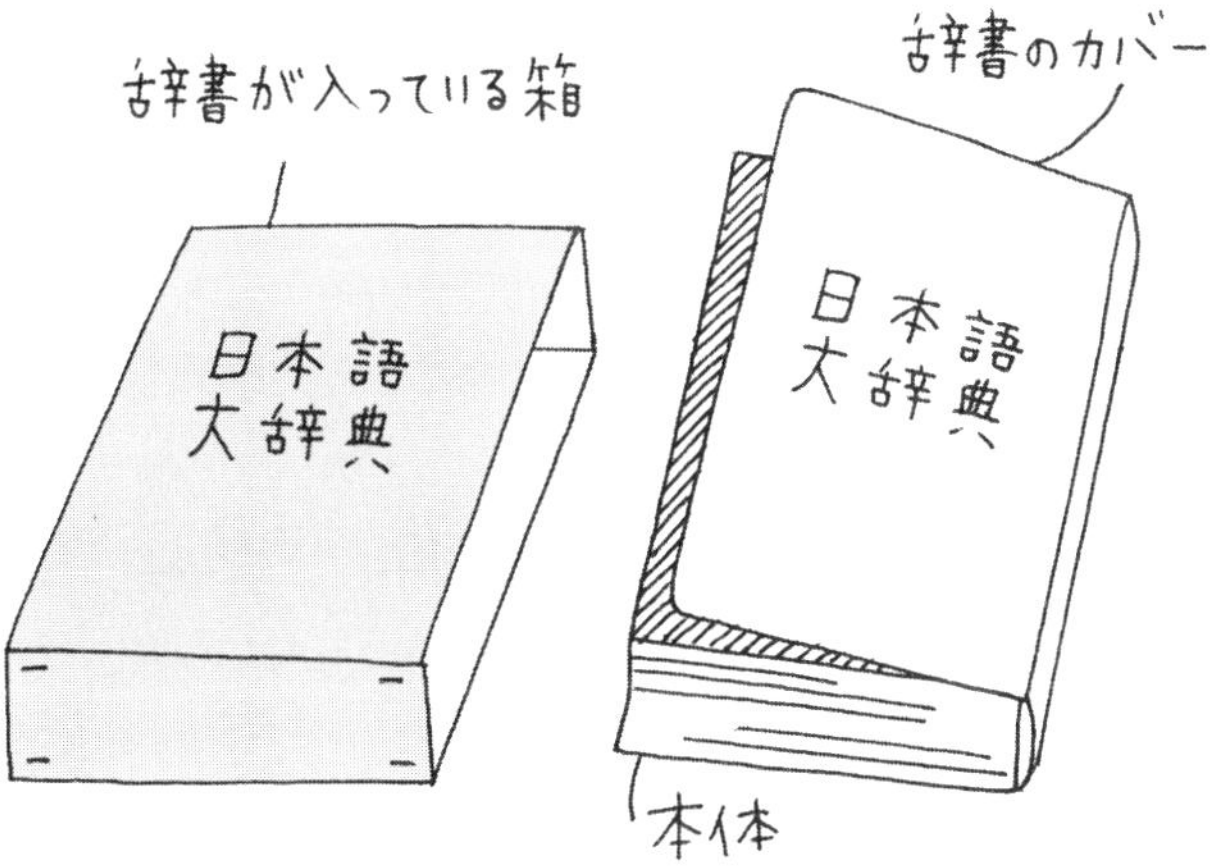

たとえば、「委任立法」を引いたとき、同じページにある「イヌ」が目に入ることで、

「おお、イヌってネコ目《もく》なのか。意外だ！」

と、「発見」するわけです。そうなってくると今度は

「目と科ってどんな関係なんだろう？」

と調べて、さらに生物の分類について勉強できます。普通に暮らしていては、こんなことはなかなか起きない。

やはり、辞書のおかげで、**特殊なインプットができている**と言えます。

仕事でよく使っている言葉でも、「よく考えると詳しくは知らない」ということは

よくあるのではないでしょうか。

たとえば、携帯電話ひとつとっても「有機EL」や「ワンセグ放送」など、専門家でもない限り、ぼんやりとしか理解していないことはたくさんあります。

辞書へのアクセスをよくしておくことで、そんな疑問に気づいたときにつぶしていけば、確実に知識の空白を埋めていくことができる。

紙の辞書を引くのは、日常生活で小さな発見をするための仕組みでもあります。

写真08 **著者が古本で買った辞書・事典**

CHECK!
カバーと箱をすてて「抜き身」にしておくのが活用のコツ

To Do 11

産業博物館に足を運んで「取材」しよう

Results

短時間でビジネスに生かせる知識が身につく

博物館と言えば、上野にある国立博物館や県立、市立の博物館を思い浮かべる人が多いかもしれません。休みの日に子供と行く場所といったイメージがありますね。

しかし、そういった公立の博物館は一部にすぎません。文部科学省によると日本全国にある博物館数は二〇〇五年の時点で、五六一四施設。正確な数はわからないものの、多くの「産業博物館」が含まれると考えられます。

産業博物館とは、企業や業界団体が運営し、その産業や会社の歴史、技術を伝えることを目的とした施設です。

有名どころを挙げれば、日清の「インスタントラーメン発明記念館」（大阪府池田市）、凸版印刷の印刷博物館（東京都文京区）、JR東日本の鉄道博物館（さいたま市大宮区）などがあります。ほかにも製紙、自動車、金融、船舶、金属、鉄道など、日本全国であらゆる産業のPRをしています。

僕がおすすめしたいのは、**休日や出張の空き時間などを利用して、できるだけこのような産業博物館に行くこと**です。

産業博物館は普通の博物館より身近なテーマや工業系の展示物を扱っているので、ビジ

ネスパーソンにとって、いい刺激になります。自然科学の博物館でナウマン象の化石を見るより、自転車博物館で技術の進歩を見るほうが、近年の自転車通勤ブームに対する考察を深めることができるわけです。

博物館に行く一番のメリットは、知識の吸収率が高いことです。

展示物を観察してパネルの説明を読むということは、「本で読んでから、現地や実物を見に行く」という行為に近い。**活字情報と実物の持つ情報の「相乗効果」**があります。

本を一冊読むとなると面倒でも、博物館を一時間くらい見学するのなら、気楽なものではないでしょうか。自社や取引先の事業に関係する博物館があれば、ぜひ行ってみましょう。

知りたいことがあればすぐに教えてもらえるのもポイントです。僕がこの間行った製紙関係の博物館で展示の説明をしてくれた人は、運営会社のOBでした。「学芸員かつ現場の人」というわけで、実体験を交えた生々しい話を聞けました。

さらに、もっとその分野について知りたければ、ミュージアムショップを使います。ショップには、その分野の参考文献がほとんどそろっているし、しゃれたお土産物も買える。便箋やメッセージカードなどの印刷体験ができる印刷博物館のように、オリジナルのお土産がつくれる施設もあります。

特に、東京にはたくさんの見応えのある産業博物館があるので、関東の人は行かないと

写真09

産業博物館はガイドブックで探す

CHECK!

「日本全国産業博物館めぐり」（武田竜弥）『大阪企業家ミュージアム』（大阪商工会議所）などが便利

もったいないでしょう。僕は東京に出張したときには、だいたい二、三館は見に行くことにしていますが、それでも未訪問の館はたくさんあります。

次に、個人的におすすめの博物館を挙げておきます。

関東＝**印刷博物館**（東京都文京区）、**お札と切手の博物館**（東京都新宿区）、**紙の博物館**（東京都北区）、**パイロットペンステーション**（東京都中央区）、**日本郵船歴史博物館**（横浜市中区）

関西＝**大阪企業家ミュージアム**（大阪市中央区）、**松下幸之助記念館**（大阪府）、**自転車博物館**（堺市堺区）、**UCCコーヒー博物館**（神戸市中央区）、**カワサキワールド**（神戸市中央区）

博物館を探すときには、「企業博物館」「産業博物館」などのキーワードでウェブ検索するほか『日本全国産業博物館めぐり』（武田竜弥／PHP新書）のようなガイド本も便利です。

To Do 12

ニュースはウェブの「NHKジャーナル」でチェックしよう

Results

専門家の「長い解説」を聞くことで背景理解が進む

寝坊して朝刊に目を通す時間がなかったときは、ケータイの小さい画面でニュースを見るより、ラジオの方が便利です。

数ある音声メディアの中でも、僕の一押しは、「NHKラジオニュース」のウェブサイトです。これは、NHKの朝昼夜のラジオニュースの録音ファイルが置いてあるだけのシンプルなサイトで、クリックすれば自動的にプレイヤーが起動して再生されます。もちろん無料。誰でも理解できるシンプルなページです。

ここが使いやすいのは再生スピードが、「ふつう」「ゆっくり」「はやい」から選べる点で、ほかのニュースサイトより格段に使いやすいインターフェースになっています。

朝昼晩のニュースの中でも一番よく聞くのは、「NHKジャーナル」です。これはAMで平日の午後一〇時からの生放送の録音ですね。

この番組の特色は、専門家や取材記者に電話インタビューして、ニュースの背景を詳しく解説してもらうところです。

この**「しゃべり」が長くて、生だから編集がかかっていないのが素晴らしい**。毎回、一〇分近くかけて、具体的にじっくりと解説してくれます。

テレビのニュースで見る識者の解説は表層的で短いし、テレビならではの演出と編集がかかっています。視聴者に一番伝わりやすいキャッチーな部分だけを抜き出すので、ものごとを単純化しすぎるきらいがあるわけです。

対して「ＮＨＫジャーナル」の解説は、充分に言葉を尽くすことによって、**ニュースの背景を単純化しすぎずに丁寧に説明してくれます**。

ラジオは情報量としては、新聞記事に劣るものの、毎日、記事を丁寧に読むかと言えばそんなことはありませんよね。この「長い専門家の解説」をワンクリックで手軽に聞けるというメリットは意外と大きいのです。

僕は、朝のニュースチェックとして、

写真10 **ニュースチェックはウェブのラジオで**

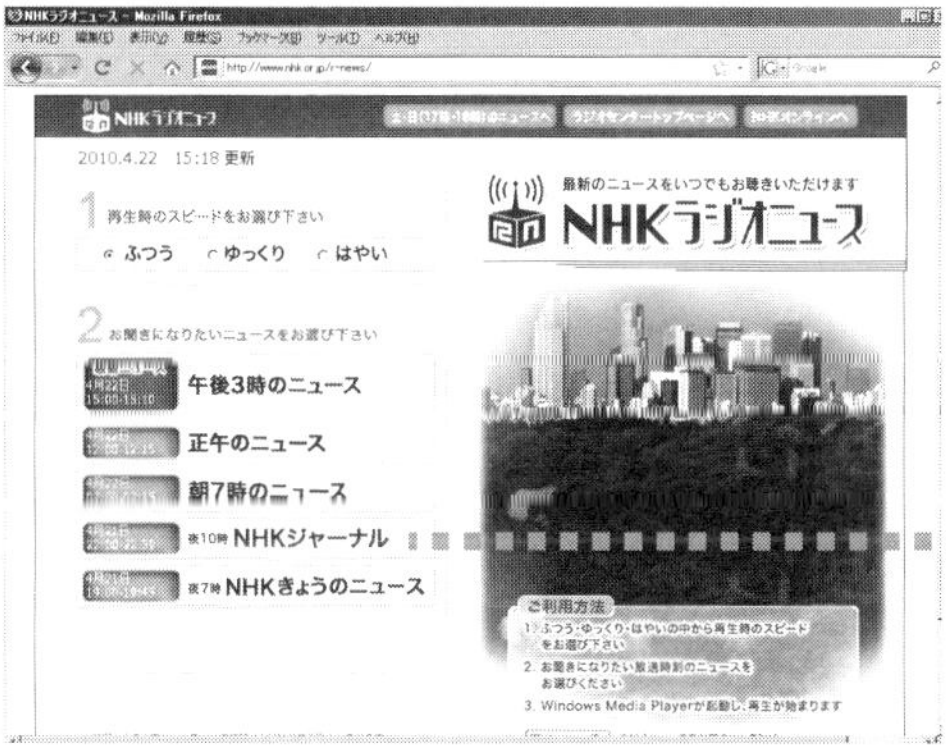

http://www.nhk.or.jp/r-news/

CHECK!

・NHK ラジオニュースは番組のほかに再生速度も選べる

ウェブで前日夜の「NHKジャーナル」を聞くことにしています。朝のニュースは、前日夜のニュースと同じなので、見る必要がないからです。

To Do 13

ウェブの「高校講座」を見ながらノートをまとめよう

Results

集中力をつけながら歴史の学び直しができる

NHKの話が続いて恐縮ですが、ウェブで見ることができる教材としては、「高校講座」もすぐれています。

なんと、NHKのウェブサイトでは、前年度の番組がストリーミング配信されているのです。これならユーチューブのように、**空き時間を使っていつでも見ることができます**。

僕は自宅で、「世界史」「日本史」「地学」などをよく見ます。領収書の整理など、単純作業をするときのBGVにすることもあります。

週に一回、三〇分間見るだけで、歴史の復習になります。ビジュアル的にも楽しめるので、歴史番組を見るより面白いと思う人もいるかもしれません。

ただ、映像メディアの問題点として、どうしても受け身になってしまうという面があります。これを防いで、見た体験を無駄にしないにはどうすればいいのか。

一番いいのは、**見ながらメモをつくること**です。出てきた用語や人物名、年号などを箇

写真11 学び直しに使える「高校講座」

http://www.nhk.or.jp/kokokoza/l

CHECK!

・NHK高校講座は現代史の知識は特にビジネスに使える

単に紙に書く。これだけでインプットの質が大きく上がります。

書いたメモは、手帳などに貼っておいて、電車を待っているときなどにちらっと見ておけば、いい復習になります。

こういったウェブ教材を見ておくだけで、書きものだけでなく会話などの幅広いアウトプットに使える**「使い回しのいい知識」を身につけることができるのです。**

SKILL 2

発想とアイデア

——情報に対するレスポンスをよくする——

To Do 14

古典や名著をテーマに「スカイプ読書会」を開け

Results

自分以外のさまざまな着眼を得ることで刺激になる

発想を豊かにするために、まず心がけておかねばならないことは、常に刺激を受けるような環境を持っておくことです。

簡単なことで言えば、日ごろから他人の考えを良く聞き、良くわからないことがあればいちいち質問して、**硬直しないように頭を耕し続けること**ですね。

しかし、人の意見を聞くと言っても、いきなり「あなたは現在の政治状況をどう考えますか?」と意見を求めるのは、インタビューの中だけで、日常会話としてありえません。

話しているとき、相手の質問をきっかけに自分の考えが引き出されるように、何か投げかけがあったほうが、レスポンスとしての意見は、よく出ます。

たとえば、**本や映画について感想を言い合うことは、他人の考えを聞くために一番やりやすい方法**ですね。

その点、近頃、静かなブームになっている**読書会は、意見交換やアイデア出し、刺激を与え合う手法として、非常に効果的**だと思います。

僕も毎週土曜の朝、仲間と読書会をしています。

と言っても、どこかのレンタル会議室に集まるわけではありません。スカイプ（ウェブ上の無料電話サービス）で会議通話しながら、発言要旨をメモする。これだけです。

準備は、飲み物を用意して、パソコンの前に座るだけ、**費用ゼロで読書会が開けます。**

参考までに、僕が仲間とやっている「スカイプ読書会」のシステムを紹介しておくと、次の通りです。

①メンバー全員で同じ本を買ってあらかじめ読んでおく
②土曜朝八時にスカイプで集合
③良かった点・わからなかったことなど、感想を話して、聞いている人がメモをつくる
④次回の本を決めて解散

メンバーは、僕の大学時代の友人で五人くらい。

夜でなく休日の朝を選んだのは、「昼までダラダラ寝ないようにしたいから朝がいい」と誰かが言ったからでした。土曜の朝なら休日出勤でもない限り、まず家にいるので、少

図05 土曜日の朝は気の合う仲間とスカイプ読書会

なくても毎週三人くらいは集まります。住所は東京から関西までバラバラですが、ウェブ上なので問題ありません。

課題本は、アマゾンなどのネット書店のURLをメールかチャットで送れば、「同タイトルのうちのどれか」「新訳か旧訳か」「角川文庫か新潮文庫か」といったことで混乱することがありません。

書店に買いに行ってもいいし、在庫がなさそうなら、そのままネット書店で注文すればいい。アマゾンの場合、土曜日に注文すれば月曜か火曜には到着するので、四、五日は読む時間が取れます。

メモはオンラインサービスの「イーサパッド」を使って取ります。

このサービスは、写真のように、複数の

参加者でオンライン上のテキストを同時に編集できるというすぐれもの。「ウェブ上のホワイトボード」と考えてください。

　トップページから「クリエイト・パブリック・パッド」をクリックすれば、共同編集できる記入欄が現れます。このＵＲＬをスカイプのチャットで送れば、参加者でオンライン上のテキストファイルを共同編集・記入できるわけです。

　注意点をひとつ。「イーサパッド」は、インターネットエクスプローラやグーグルクロームなどのブラウザでは正常に動かないので「ファイヤーフォックス」で開くようにしてください。作ったメモはブログやメーリングリストで共有することでバック

写真12　「オンラインホワイトボード」として使えるイーサパッド

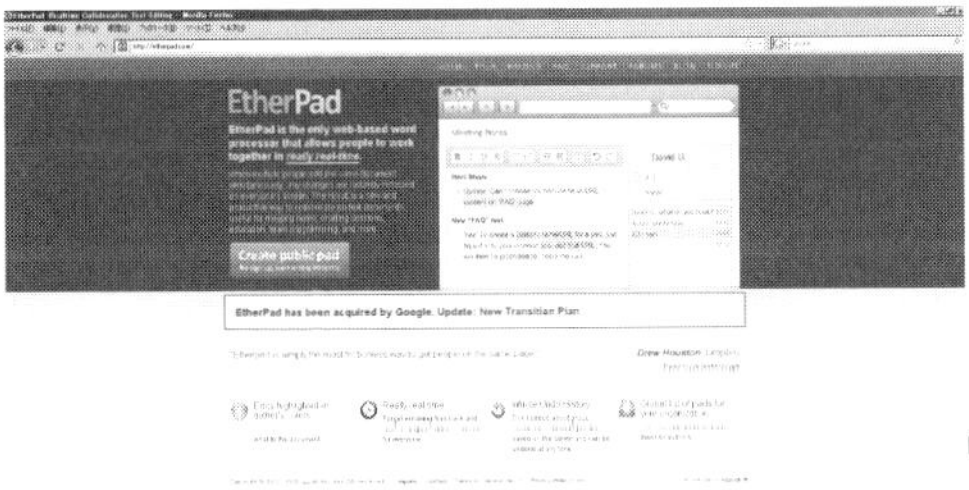

http://etherpad.com/
※ 2010年4月14日をもって公式版はサービス終了しましたが、有志によって後継サイトが運営されています。

CHECK!
・イーサパッドは参加者みんなで書き込んでメモを作れる

写真13 イーサパッドの作業ページ

CHECK!
書いたユーザーによって文字の背景色が変わる

アップしておけば安心です。

参考までに「これは話が弾んだ」という本を挙げておくと、次の通りです。

・『夜と霧』（ヴィクトール・E・フランクル／みすず書房）
・『茶の本』（岡倉天心／岩波文庫）
・『ユートピア』（トマス・モア／岩波文庫）
・『いろいろな人たち』（カレル・チャペック／平凡社）

古典や思想書などのちょっと難しい本のほうが、人の解釈を聞いてはじめて納得できたり、読み手によってまったく違う感想になったりと、バリエーションが出ていいのですね。

写真14 **スカイプ読書会で使うマイク**

CHECK!
スカイプ用マイクはヘッドセットよりモニタにつけるクリップ式が便利

結局、この読書会のシステムは「ひとりが読みたい本をほかの参加者が強制的に読まされる」というシステムなので、

- **有名だが読んだことがない本**
- **かつて読もうとしたが難しくて読めなかった本**
- **歴史的に評価が高い本**

など、ある程度「手堅い見返りがある本」にしておかないとモチベーションが下がって破綻すると思います。

読書会は、**他人の考えを聞けるほかに、効率よく本が読める**というメリットもあります。

週一回開くとすれば、年間五〇冊以上は読むことになる。

文部科学省の調査によると、大人の読書量は月三冊以下の人が八〇%らしいので、月四冊も読めば、かなり上位の読書量と言えます。

また、**本はひとりで読むより、読書会という〆切があるほうが速く読める**のですね。ナナメ読みなどを駆使してなんとか読了することになる。

たとえ読み切れなくても、途中まで読んで得たことと他人の話で、理解が組み立てられることもあります。

しかも、**自分の知らない良書に出会うこともできる**のです。

漠然と人を集めて世間話で交流するより、きっちり課題本を決めて読書会を開くほうが、得るものは大きいと思います。

To Do 15

アイデアに詰まったら、本屋に行ってすべての棚に目を通せ

Results

本が刺激となってどんどん発想が湧いてくる

僕は、「発想」とは野球のバッティングのようなものだと思っています。

つまり、こちらに向かってくるボールを打ち返すように、**ある情報が自分の方に飛んできたとき、そのレスポンスとしてアイデアや意見が生まれる**ということです。

その「情報」とは、通勤中に見かけたおしゃれな人であったり、昨夜言われたどうも腑

に落ちない言葉だったり、雑誌の広告に使われている写真だったりします。

それらを不思議に思って考えたり、自分なりに解釈してみたり、人に説明するために言葉を組み立てたりしているうちに、「そうだ！」という発想が出てくる。

アイデア術の基本は、このような**「いい球」をどれだけ自分に投げられるかにかかっているの**ではないでしょうか。

さて、**頭にきっかけとしての刺激を与えて、レスポンスとしての発想を引き出す方法**として、ひとつ、ぜひおすすめしたいことがあります。

僕が**「本屋ごもり」**と呼んでいる方法です。

やり方は簡単。駅ビルやデパートの上の階など、手ごろな大きさの書店に行って、すべての棚の隅から隅まで目を通す。これだけです。

「すべての棚」には、絵本やマンガ、ライトノベル、画集、文庫・新書、参考書、地図のコーナーを含めます。文字通り、店内にあるすべての本の背表紙を読むくらいの覚悟で始めましょう。

僕は、二、三カ月に一回くらいはこれをしています。

いい企画が思いつかないときや本のタイトルが浮かばないとき、ただ暇なときなど事情はさまざまです。

メモを取っていると怪しいので、思いついたことを書いておくためには携帯電話のメモ

機能を使います。**だいたい一時間くらいはかけて、棚を一つ一つ、左右から上下まで、ゆっくり見て、気になった本は棚から取り出して開いてみる。**

考えたことというのは、たとえばこんなことですね。

「この本のタイトルにある『飄々と』というのはいい言葉だなあ。どこかで使いたい」

「女性対象の『片付け本』がこんなにあるのなら男にも需要があるかもしれない」

「この本の『マルチ』というのもいい。『頭をマルチ化する』という切り口はどうか」

「メンタル本もすごく多い。ストレス解消より、そもそも仕事のプレッシャーを感じなくなるような本があればいいいんじゃないか」

「何か読者に知識を教える指南系のライトノベルが増えているなあ。何でだろう？　あとで一冊買ってみよう」

「『行動力を鍛えよう』か……。いっそ『情動力』というコンセプトはどうかな」

その場で企画ができるところまではいかなくても、タネくらいは得られます。ネットサーフィンしたりただ漠然と座って考えるよりは、はるかにマシでしょう。

書店にいると、タイトル、帯、ＰＯＰ、本の並びなど、**さまざまな情報のシャワーを浴びることになるので、それに反応して自分の考えがよく出てきます**。

しかもすべての棚を見れば、かなりの距離を歩くことになるので、散歩しているときのように、アイデアが浮かぶ確率も高くなるような気がします。

また、本のタイトルを見て、

「きっとこんなことが書いてあるんだろう。面白そう！」

と思って手に取った結果、ぜんぜん違った。こういった場合も大きなチャンスです。

その「こんなこと」という内容への仮説が、そのまま自分が面白いと思うコンテンツ案になるからです。


また、**書店の本棚というのは社会の縮図とも言えます**。健康やお金、恋愛、生き甲斐などを、人が今どんなふうに考えているのか、どんな言葉や情報、物語を求めているのか、書店の棚をよーく、冷静に、観察すればつかめるのです。

だから、「本屋ごもり」は、書籍などの企画だけでなく、一般向けのリービスや商品開発、営業戦略など、どんなことを考える上でもブレークスルーになりえると思います。


たとえば、エッセイの棚で『ひとり居酒屋の楽しみ』という本を見たとき、自治体の観光関係の職員だったら、

「『一人でも楽しめる』をキーワードに、『わが町の観光散歩コース』みたいなパンフレットをつくってみたらウケるんじゃないか。飲食店と撮影スポット情報なんかも載せて。『自分に向き合えるゆったりした時間が持てる』なんてキャッチフレーズで……」

と、街のＰＲのヒントを発見するはずです。

図06 書店は社会の縮図

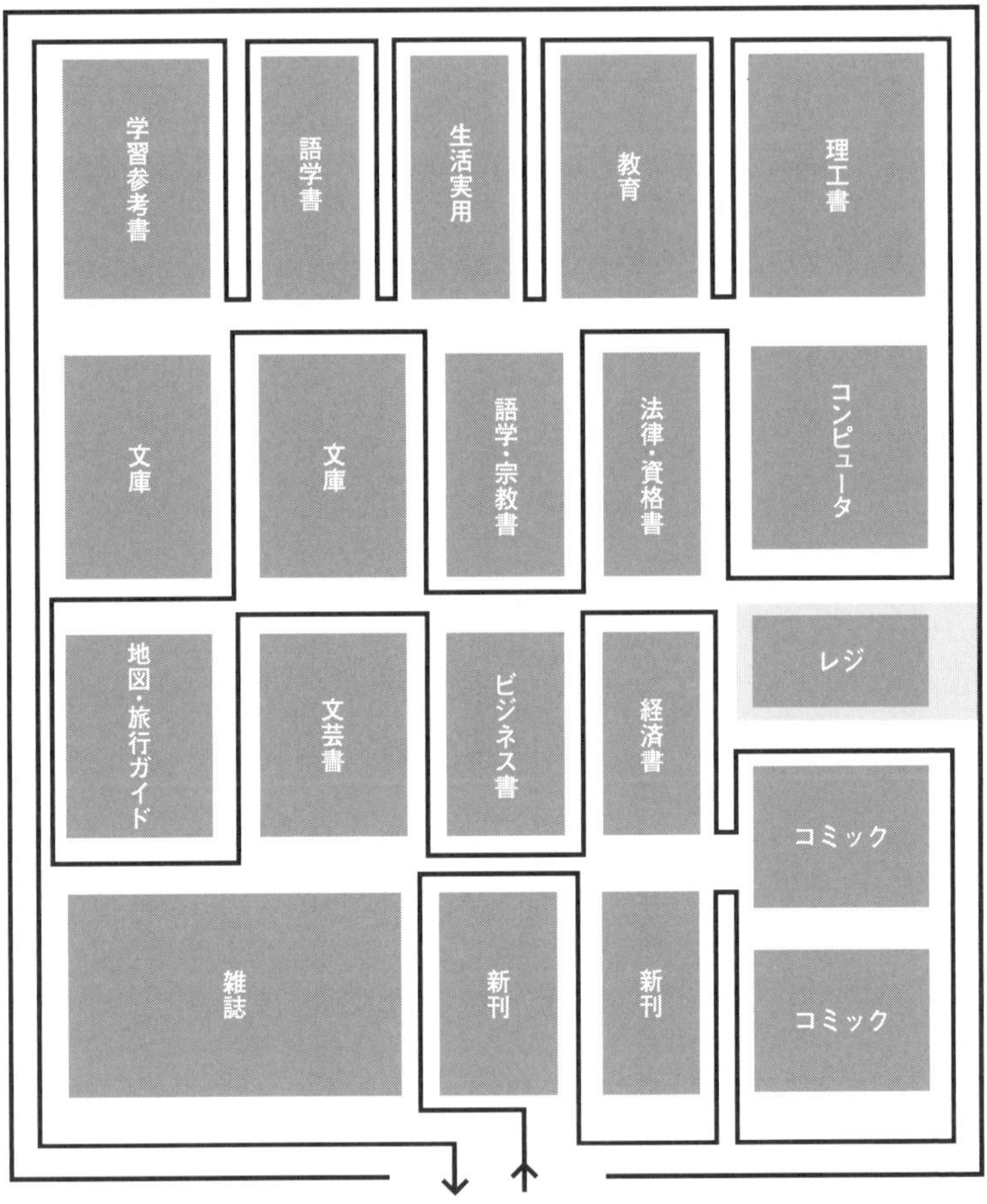

すべての棚を見て歩き通す！

また『ツール・ド・フランスの歴史』という本を見つけた営業マンは、「今の営業車より、スポーツサイクルで顧客を回った方が、早くて、コストカットできて、しかも会社のイメージアップになるかもしれないぞ。どれぐらいで買えるのかを調べて、上司に提案してみよう」

と考えるかもしれない。

普通、彼らが本屋にヒントを探しに行く場合、『街を活性化する方法』とか『営業がうまくなる方法』とかいった本を探すのでしょう。

それも悪くありませんが、**まったく関係ない本を見た方が、かえって発想が飛躍して、使えるアイデアを生み出せるケースも多い**のです。

To Do 16

未解決の疑問はとりあえずノートにメモしておこう

Results

頭の片隅で考え続け、熟成することでアイデアが得られる

僕は、何か疑問を感じたら、なるべくノートに書き残しておくことにしています。

今見返してみたら

「仕事ができる、とは具体的にどういう人のことなのか？」

「飽きと慣れはどう違うのか？　熟練する、とはどんな現象なのか？」

「大量に撮ったデジカメ写真から簡単によく撮れた写真を選ぶ方法はないか？」と、書いてありました。いまだにわからない問題です。

「インプット」の項目で書いたように、僕は疑問が出てきたらすぐに辞書を引いて「つぶす」ので、これらはすなわち、「未解決の疑問」ということになります。

なぜこんなものをメモして、いつまでも参照できるようにしておくかというと、アイデアのタネになるからです。

疑問は、完全に忘れないようにさえしておけば、ことさらに意識しなくても、頭の片隅でずっと考え続けることになります。

たとえば、昔観た恋愛映画で主人公の心理が理解できなかったのが、実際に自分が恋愛するようになって突然、「ああ、あの映画はこういうことを言っていたのか」とわかる。

こんな経験はないでしょうか。

この「突然わかる」のは、「あの映画は何だったんだろう？」という思いを忘れなかったからです。

メモに残して、たまに見返すようにしておくと、完全には忘れることはありません。

そして、考え続けることで、答えを見つける。

この最大のメリットは、その**「自分なりの答え」**は**「新説」である可能性が高い**ということです。

偶然にも同じようなことを考えている人はどこかにいるかもしれませんが、少なくとも、本や新聞、ウェブですぐに見つかるものではない。

それは自分だけの体験、そして自分で選んださまざまなメディアの情報が組み合わさってできた発想の産物であって、他の人はその材料になったものとまったく同じ情報にはアクセスできないからです。

その発想がどの程度ユニークかはわかりませんが、少なくとも、**「自分由来のアイデア」**であるとは言えます。

「自分由来のアイデア」とは、たとえば、こんなことです。


「なぜ若者はクルマを買わないのか」という問題は、新聞やテレビでは「若者はお金がないから」とか「公共交通が発達したから」などと言われている。

しかし、私は、環境教育の影響が大きいと考えている。

私が小学生のころは、「クルマが排ガスをまき散らして地球が泣いている」というような、環境保全を訴える絵を描く授

業がよくあった。そんな教育を受けた世代が、買い物や行楽などに「必要」とまでは言えないクルマに対して、ネガティブな印象を持っているのは当然のことではないだろうか。

だから、若者にクルマを売るためには、教育現場で、クルマの害だけでなく、文化性や楽しみの面があることを生徒に伝えればいいはずだ。


この説がどれくらい同意が得られるかはさておき、「なぜクルマが売れないか」「クルマを売るにはどうすればいいか」に対する、新しい感じのする説ではないでしょうか。

こういう考えが出てきたのも、「なぜ自分や若者はクルマを買わないのか」という**疑問に対して、一般的な説に納得せず、頭のどこかでずっと考え続けていたから**です。

その過程で「子供のころはクルマにどんな印象があったか」と考えて、「そういえば、先生はあんなことを言っていた」「あんな授業や教材があった」という体験を思い出して素材にしています。経済誌の記者や自動車会社の幹部は、僕の世代のような経験がないし、クルマが身近すぎるのでこうした説はなかなか出てこないでしょう。

だから、**疑問をメモして得た自分なりの回答は「新説である可能性が高い」**のです。

と、これは書いたり話したりするネタをつくるためにしていることですが、この方法は、普通のビジネスの現場でも使えます。

たとえば、会議やミーティングでは、決まったことだけでなく、**「未解決のまま終わった(と自分では思う)こと」も、次のようにノートに書いておく。**

【未解決】なぜ当社サイトのインターネット広告の出稿が急に減ったのか
【未解決】社内で会うタイミングがとれなくてもチームで情報共有する方法はないか

こんなことでも、ちゃんと書き留めて意識に刻んでおけば、

「あっ、ライバルのサイトがリニューアルしてすごく見やすくなってる。このせいか」
「この広告に出ているツイッター活用本に、チームで使う事例が載っているかもしれない」

と、ある日突然、答えが見つかったりする。また、偶然目についた情報から、解決の糸口を発見できるケースも多いのです。

To Do 17

何も浮かばないときは「だったら思考」で視点を変えろ

Results

発想の行き詰まりをなり切ることで乗り越える

考えに行き詰まらないようにするため、知っておくと便利な思考モデルがあります。僕が**「だったら思考」**と呼んでいるものです。

小説を読んでいるときなんかには、「自分が主人公だったらどうするだろう」と考えたりすることがありますね。それと同じで、あるものごとについて考えるときは、

- **外国人が見たらどう思うだろうか**
- **犬がしゃべれたらなんて言うだろうか**
- **宇宙人ならどんなリアクションをするだろう**
- **原始人が見たらなんて言うだろう**
- **マイケル・ジャクソンならどうするだろう**
- **手塚治虫先生ならどう答えるだろう**
- **「こち亀」の両さんだったらどうするか**

と**人物やキャラクターの視点になり切って考えてみる**のです。仮想する「主体」は、で

きるだけ、普通じゃない人やキャラクターのほうがいいと思います。

これは、よく飲み屋で「ナマコをはじめて食ったヤツはいったい何を考えていたんだろうね」などと話をするのと似ていますね。今皿に載ったナマコを見ている自分ではなく、初めて食べる昔の人間の気持ちになってナマコを見れば、

「腹が減ってたら意外とおいしそうに見えるよ」

「冷静に考えてみれば、貝や海老も相当気持ち悪いわな」

と、簡単に視点を変えることができるのです。

実を言えば、僕が『情報は1冊のノートにまとめなさい』を書いたきっかけも、この「だったら思考」で**視点をずらして考えた**ことでした。本屋に並んだ手帳の本を見て、

「そこまでガチガチに自己管理しなくても仕事ができる人が見たらどう思うんだろう」

「学生のころの自分だったら、どんなふうに手帳を使っていたのかな」

「昔の人が現代のごてごてした手帳を見たらなんて言うだろうか」

と考えて企画を練っていったのでした。

企画やアイデアを出すような場合でなくても、

「ナポレオンだったら、今の人事制度のどこが問題だと言うだろう」

「松下幸之助だったら、こういう部下をどう育てるのかなあ」

図07 「だったら思考」で発想の幅を広げる

「江戸時代の人にこの製品を渡したら、どんな使い方をするだろう」

「○○だったらどうするか」「○○だったらどんなリアクションをするか」という問いを考えるときの口癖にして、自分に問いかけるようにしておけば、**いつでもひとりで視点を変えて、多角的な考え方ができる**ようになります。

それで正解が出るかはわかりませんが、何も思いつかないという膠着状態からは抜け出せるだけでもメリットは十分あります。

To Do 18

「○○とは××だ」を何でもいいから一〇個言ってみよう

Results

産婆役となってアイデアを言葉にできる

発想を出すとき、たとえば、本の感想なら、「共感を感じない」ということを含めて、何らか「考えたこと」を列挙することはできます。本や映画という対象があるケースは、そのレスポンスとしての自分の考えをまとめるのは比較的簡単なのです。

問題は、ハッキリした「考える対象」がないとき、自分から項目をどう出すか、です。

こんなとき、使えるテクニックがあります。

僕が二〇〇八年、『だから、新書を読みなさい』（サンマーク出版）という本を出そうとしていたときのことです。初期の打ち合わせで、僕は「新書」について思っていることをひたすら並べた項目を一〇〇個近く書いて持っていきました。

ところが編集者は、「ここに並んだ項目の大半は、この本のメッセージである『新書をビジネスに活かそう』ということと関係がないからカットしよう」と言います。

「もっと活用という視点で、思いつくことありますか」と編集者。

「えーと……ごめんなさい。すぐは無理です」

「じゃあ、何でもいいので『新書とは○○である』を一〇個言ってみてください。はい、スタート！」

「えーと、新書は辞書、知の宝庫、いや……、ビジネスの相談窓口だ。それから、新書は、武器、ちがうな……エクササイズマシーンというか、頭のトレーニング器具である。でもって、新書はー、新書とは……」

僕はアイデアとは、日ごろから用意しておくものと思っていたので、いきなり「はい、出して」と言われたことに衝撃を受けました。

しかし、それ以上に驚いたのは、自分の口から項目案として書いたこと以外の「アイデアらしきもの」がどんどん出てくるということです。八個目に言ったことが三個目とほぼ同じだったり、意味のわからないことを口走ってしまったりもするのですが、なんとか数は出せます。結局、ここで出た案は企画の核になりました。

よく考えてみれば、僕がしどろもどろになりながら言ったことは、まったくのでまかせではありません。「考え」としては頭の中にすでにあったことです。ただ、まだ明確に言語化されていないから、「項目」としては盛り込まれなかったわけです。

「『○○は（要するに）××だ』を一〇個言ってみて」という質問は、**言語化されていない考えを引き出すための「産婆役」**である。

こう考えれば、発想のブレークスルー手法として使えることがわかります。

企画や文章のネタを考える場合でなくても、

「この新製品の携帯電話は××だ」……ファッションアイテムだ、モテる男のアイコンだ、遊び心のアピールだ
「この課題の目的は××だ」……文献の調べ方を知ることだ、自分の手に負えるレベルを把握することだ、論文の書き方を学ぶことだ
「この新サービスは××だ」……中小企業ブランディングの第一歩だ、即効性のある組織活性化策だ、営業の補助ツールだ

と、「○○」の部分に「プッシュしたいもの」や「理解してもらいたいこと」を入れて、「××」を考えてみると、紙に書いたりパソコンに入力するには至らなかったような案が出てきます。

この方法のポイントは、穴埋め方式の**問いを立てることで「書けない考え」を出させること**です。だから、本当は人に問いかけてもらって、しゃべるのが一番です。

しかし、そんな人がいないときは、独りごとを言ってみて下さい。

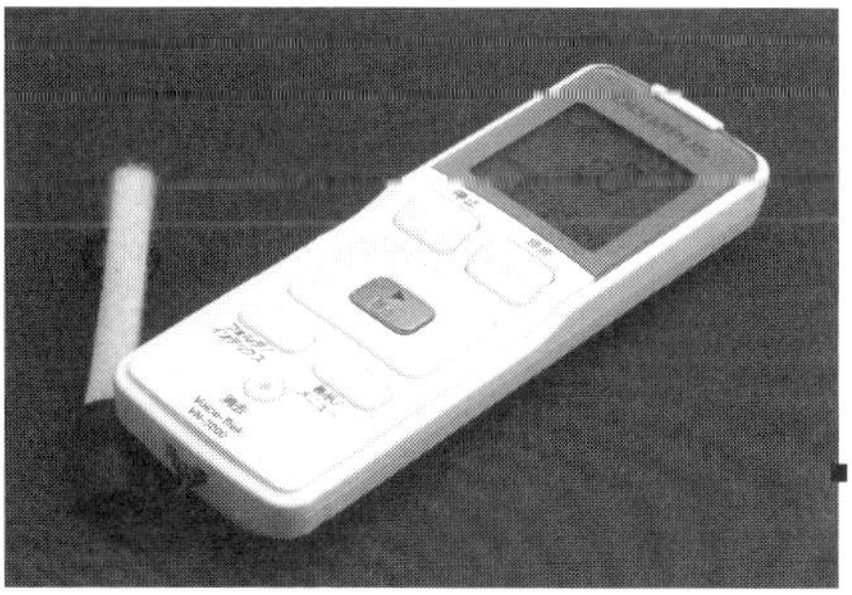

写真15
ひとりごとで発想するのに使えるICレコーダー

CHECK!
シンプルなモデルがいちばん使いやすい

あるライターは原稿に行き詰まったとき、「独りごとを言いまくりながら書けば、乗り越えられる」と言っていました。

「何だったっけ、要するに何だ？　結局、何を言おうとしてたんだろう」などと言いながらキーボードを叩いているうちに、整理がついてくるとのことです。

僕は、考えが出せないとき、ごくシンプルなICレコーダー「ボイストレックVN－3200」を持って散歩に出かけます。**頭の中でぶつぶつ言いながら二駅分くらい歩いて、その間に考えたことを口述でメモする**のです。歩きながらだと、リズムがあるせいか、座っているときより言葉が出やすくなるから不思議です。

To Do 19 アイデアはとりあえずテキストエディタで「項目出し」しろ

Results 情報カード方式と同じように視覚的にアイデア整理

発想がある程度出てきたら、使えるようにまとめておく作業が必要です。

たくさんのアイデアを整理したり、構成をまとめるときの方法としては、カードに短い文やキーワードを書いて、関連性や分類を考えて、並べていく方法がよく行われています。

『発想法』（川喜田二郎／中公新書）で紹介している「KJ法」、『知的生産の技術』（梅棹

忠夫／岩波新書）に出てくる「こざね法」などが有名ですね。細かく言えば人によって違いはあるようですが、

①扱いやすいサイズのカードを使う
②カード一枚につきひとつのことを書く
③並べたり、束ねたりしながら考える

という点では共通しています。

僕も、書くことや話すことを整理しようとして、わけがわからなくなってきたとき、最後の手段として試すのが、このカードを使った方法です。『読書は1冊のノートにまとめなさい』の中身を考えるときは何百枚もカードを書いて、畳の上に広げて並び替え、話の展開を考えました。

何かを書くときではなくても、この方法はアイデアを整理するのにいい方法です。でも、実際やるとなると、かなり面倒ですね。

市販の情報カードはそういつも使うものではないので、会社や家で、急にこれをやってみたくなったとき、充分なカードをすぐに用意できないことも多い。

それに広い机でないと、快適に作業はできません。

オフィスや外出先などで、もっと手軽にアイデアを整理をしたい場合にはどうすればいいのでしょうか。

僕は**パソコンで、この「カード方式」に近いことをやっています**。

かつては、「カード方式」に似たことができるフリーソフトからシェアソフト（お試し期間後、継続使用する場合に料金を払うソフト）、マインドマップのような放射図が描けるオンラインサービスまで使ってみたことがあります。

しかし、結論から言えばこういったソフトは「凝りすぎ」でかえって使いにくい。

今は「テキストエディタ」（「メモ帳」や「ワードパッド」のようなテキストファイルを編集するソフト）を使ったシンプルな方法に落ち着いています。その方法とは、

①思いついたことをひたすらエディタに箇条書きする
②箇条書きをテーマや重要度に沿って並び替える
③上位項目を立てて箇条書きをくくる

というシンプルなものです。

たとえば、ウェブ連載のために『ネコ型社員の時代』（山本直人／新潮新書）の書評を書こうとしたとき、僕は読み終わってすぐ、考えたことを次のようにテキストエディタで

羅列しました。

・ネコ型社員とは結局ひとことで言うと?
・ネコ的に扱う、ということ
・ホイットマンの詩(動物)
・労働神話へのアンチテーゼ
・いまだに残る滅私奉公への異論
・正社員の労働も「取引」なのか
・団塊ジュニアのメンタリティは特殊なのか
・この「歩み寄り」をネコ型はどう受け取るか
・「したり顔の仕事論」への違和感

次に、これを並び替えて、上位項目を立てて整理すると次のようになりました。

■ネコ型社員の説明

・ネコ型社員とは結局ひとことで言うと?
・労働神話へのアンチテーゼ

■著者の意見
・ネコ的に扱う、ということ
■どんな人に向いているか
・いまだに残る滅私奉公への異論
■自分の意見
・この「歩み寄り」をネコ型はどう受け取るか
・正社員の労働も「取引」なのか
・団塊ジュニアのメンタリティは特殊なのか
・ホイットマンの詩（動物）

この構成図に沿って書けば、

「『ネコ型社員』とは○○のことで、著者は△△と主張している。□□な人に向いている本だ。ちなみに私は××と思った」

という整理された構成をつくることができます。あとは不要な部分を削ったり、冒頭やオチを工夫すれば、読みやすい文章が書けるわけです。


さて、箇条書きを並び替えるときは、文字列（行）を選択して、次のどちらかの操作を

写真16 オズエディタで考えを整理

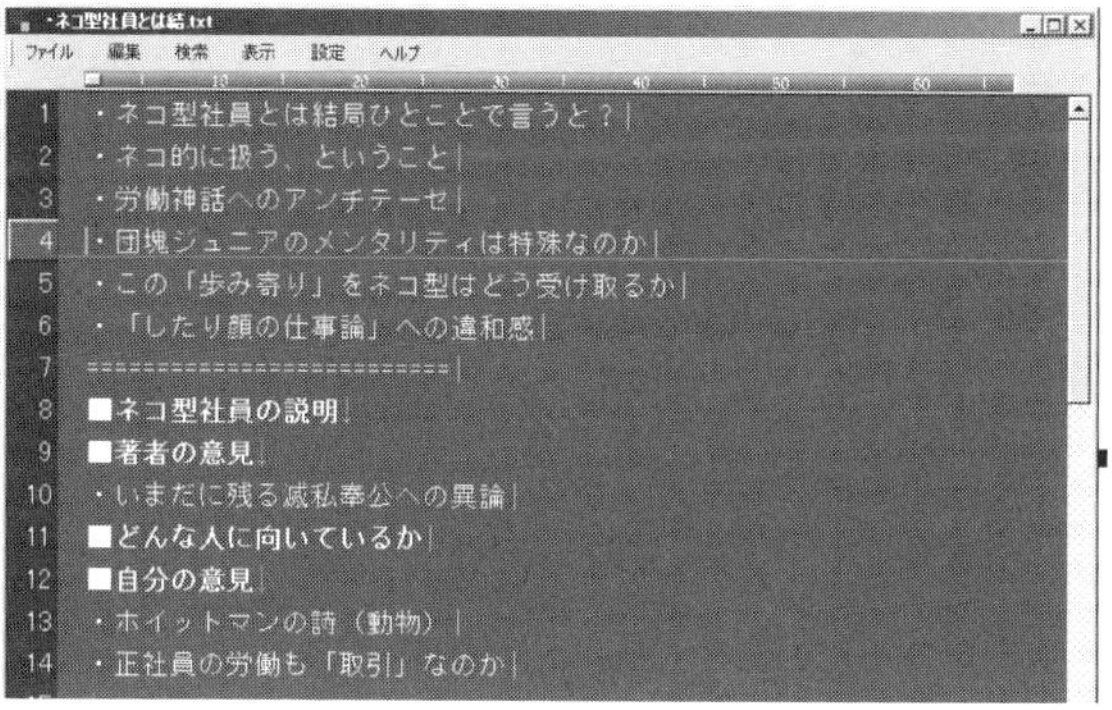

CHECK!
とにかく書いてみた箇条書きを並べ替えて整理する

します。

・マウスで動かしたい場所にドラッグ・アンド・ドロップ

・Ctrl＋x（切り抜き）を押し、動かしたい場所でCtrl＋v（貼り付け）

ウィンドウズにはじめからついているテキストエディタ「メモ帳」は、選択した文字をドラッグして動かすことはできないので、「ワードパッド」で試してみてください。

僕は**「オズエディタ2」**というテキストエディタ（このソフトについては後述）をカスタムして、「Ctrl＋q」を「行を選択」のショートカットキーとして登録しています。左手でこのキー操作をしつつ、右手でマウスを動かせば、写真のように、カードを並べ替えるような手軽さでこの作業がで

きるのです。

このように、**「項目出し」から整理して内容の骨子へ、という流れをパソコン上でいつでもできるようにしておく**。すると、移動中や休憩中にも、気負わずにさっと長文メールや企画書、報告書の下書きをつくることができます。

文章や書類をつくる場合でなくても、たとえば、

・議題リストをつくる

話し合わなければならないトピックのほか、気になっていること、言いたいことなどをとにかく箇条書きで列挙する。出し終わったら、カテゴリごとにまとめながら箇条書きを並べ替える。項目ごとに説明文を加えて配れば、チームで問題意識を共有できる。

・行動計画をつくる

やりたいと思っていることや、達成したい目標、少しでも気になっていることなどを思いつくまま、ひたすら箇条書きでリストアップする。すべて出し終わったら、実現の可能性や、難易度順などで仕分けして、できそうなものから手をつけていく

・**マニュアルや説明資料をつくる**

顧客や取引先から寄せられそうな質問や反応を思いつく限り箇条書きで列挙し、実際に頻度の高そうな順に並べ替え、ＦＡＱ（よくある質問と答え）をつくる

と、工夫すれば、さまざまな分野で活用できます。

頭の中でうまく考えを整理できないときや、何から手をつけたらいいかよくわからないときに備えて、ぜひ覚えておいてほしいテクニックです。

To Do 20

ホワイトボードに現状の案をすべて書き出して置いておこう

Results

粘り強く考えてひとりでもブレスト会議できる

私見ですが、アイデアに行き詰まるケースには、

・考えはあるがうまく形にならないとき
・考え自体が湧いてきていないとき

という二つのパターンがあるように思います。

これまでに紹介した「本屋ごもり」やテキストエディタを使った方法、「○○は××だ」という質問に置き換えて引き出す方法は、前者の場合に使える技術です。

日ごろから無意識に考えているから、カードやエディタに言葉を箇条書きしたり、自分に問いかけたり、本屋の棚を見ることによって、アイデアが言葉になって出てくる。

しかし、考え自体がなければ「項目出し」をしようとしても、二、三個しか並べることができない。

カードやエディタを使った「項目出し」にも、あまり意味がありません。

では、いざ書類や文章をつくるとき、「考えていなかった」ということにならないためには、どうすればいいのか。

写真17 「消せる紙」でアイデア出し

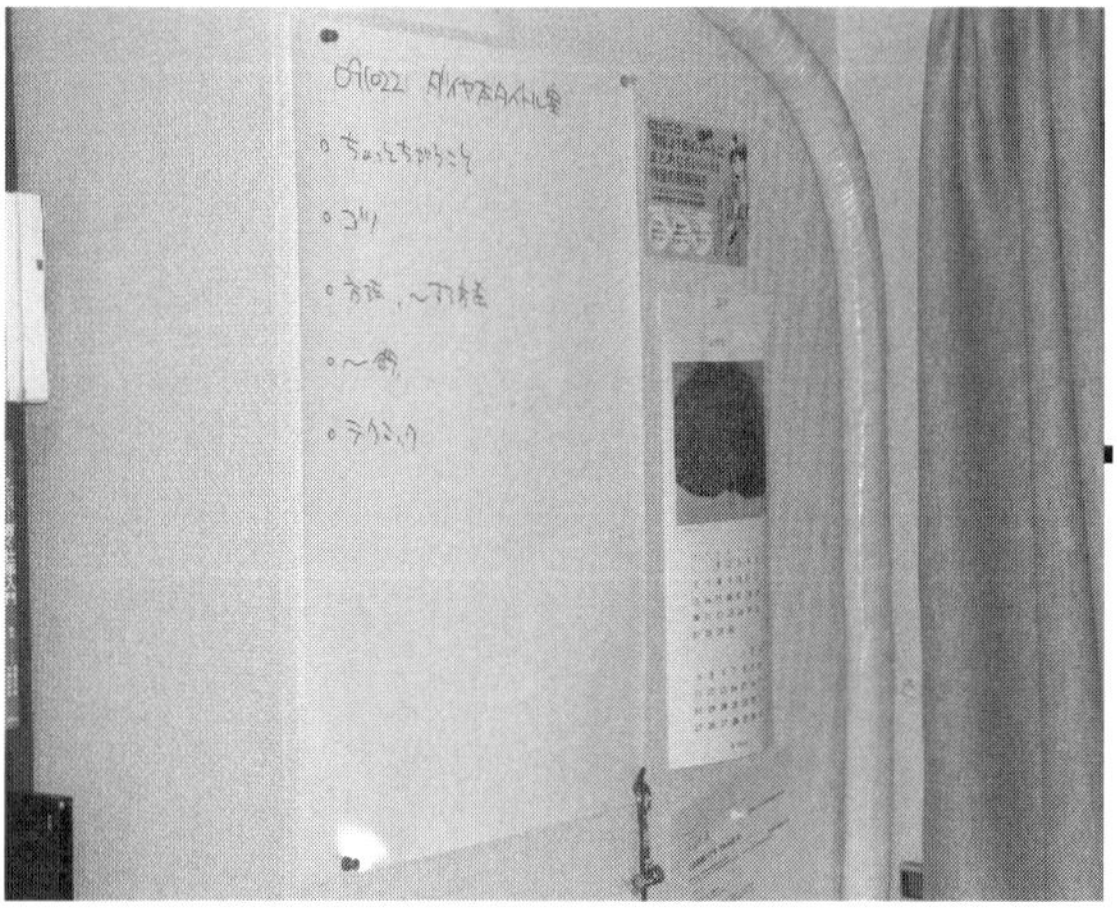

CHECK!
ホワイトボードを使うことで折に触れて考える体制をつくっておく

「常に課題を意識し、思いついたらすぐにメモを取る」というのが模範解答ですが、それができるならはじめから苦労しません。

もっと、誰でもできるやりかたとして、僕は、**ホワイトボードに書き込んでいく方法**をおすすめします。具体的には、次のような方法です。

①一番上にタイトルを書き込む（例：拡販キャンペーン案）

②すでに思いついていることをありったけ箇条書きで書いておく（例：ウェブに広告を出す）

③前を通りかかるたびにチラチラ見る

④思いついたら、いつでも下に書き足していく（例：景品が当たるアンケート）

要するに、「リマインダー兼メモ帳」ですね。ホワイトボードが課題意識を思い出させ、**その場で考えさせるように自分を仕向けるわけです。**

二、三週間くらい続ければ、だんだん埋まっていきます。**過去の自分と今の自分とでブレストするようなもの**です。

自宅で使うなら「消せる紙（けせるし）」という商品が便利です。ホワイトボードと同じようにマーカーで書いて消せる紙で、ピンで留めれば、すぐに壁がホワイトボードにな

ります。研修や会議に使っている企業もあるようです。

To Do 21

どこでも使えるホワイトボードを作って持ち歩け

Results

考えたことを気負わず書いて形にできる

発想をまとめるのに、ペンやノート、パソコン以外に持っておくといいものを紹介しておきましょう。**「クリアファイルでつくる、持ち運びできるホワイトボード」**です。

つくり方は次の通り。

①クリアファイルの底辺（接着部）をまっすぐに切る
②書く面の裏にテープか糊でコピー用紙を貼る
③保存するときはファイルを折り返してスキャンかコピーする

これをカバンに入れて、いつでも持ち歩いておくと、さまざまな場面で活躍します。

まず、喫茶店やファミレスで打ち合わせをした場合でも、会議室のホワイトボードのように、互いに書き込みながら話し合うことができる。

それに、図やグラフ、イラストがフリーハンドでうまく書けない人でも、気軽にとにか

く書いてみることができます。ホワイトボードなら、簡単に修正することができるので、鉛筆で書いて消しゴムで消すより、気持ちとしてずっと楽でしょう。

「ちょっと思いついたけど、どうメモしておいたらいいかな」

こんなふうに、考えが紙に書くほどはっきりかたちになっていないときでも、この「ホワイトボード」を使えば、**気負わず、手軽に「とりあえず書いて、頭の中を整理する」ことができる**のです。

クリアファイルはどんな職場にもあるので、材料費はゼロ。ペンはホワイトボード用のマーカーのなるべく細いものが最適です。僕はパイロットのイレイサー付きホワイトボードマーカーを使っています。

ファイルの中に貼る紙をレポート用紙にしたり、コピー用紙に「罫線」をプリントすれば、方眼や五線譜など、いくらでもアレンジができます。

スキャンしたりコピーをとって保存するときには、書き込んだ面が内側になるように折り返してください。これで、プリンタやコピー機のガラス面を汚すことはありません。

書いたものをカバンに入れて持ち運ぶときもこの「折り返し」でＯＫです。

図08 携帯ホワイトボードのつくり方

［材料］

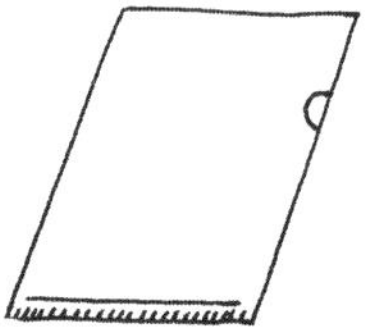

透明クリアファイル（A4）

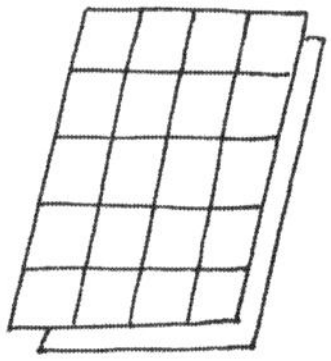

A4コピー用紙
（方眼、罫線などプリントしても可）

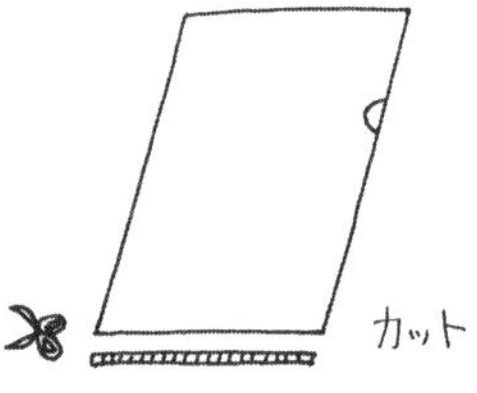
カット

1. クリアファイルの接着部を切る

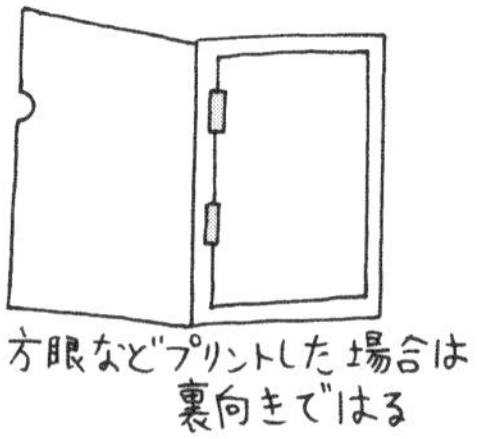
方眼などプリントした場合は
裏向きではる

2. 開いてコピー用紙を貼りつける

3. 紙を中にして閉じ、ホワイトボード用マーカーで自由に書く

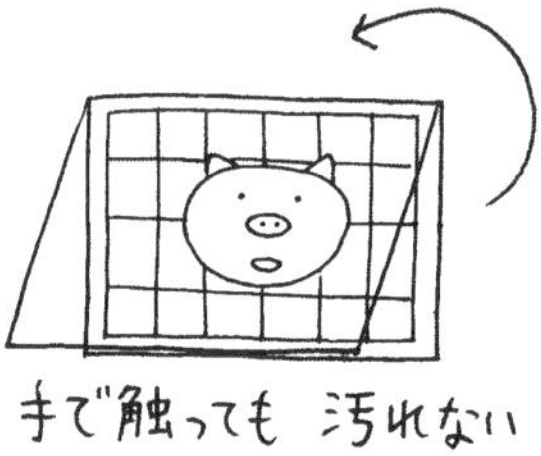
手で触っても 汚れない

4. コピーをとる、スキャンするまたは、カバンに入れて持ち歩いたりしたいときは、折り返す

To Do 22

万年筆や筆ペンなど「タッチが出せるペン」で手書きしよう

Results

「筆の進み」が潤滑剤になり考えがまとまる

手書きで考えをまとめたり、メモをつくったりするときには、万年筆がおすすめです。と、こう言ってみたところで、同意してくれるのはすでに使っている人だけで、「あんな面倒なもの、どこがいいの」と思う人が、ほとんどではないでしょうか（かつての僕がそうでした）。

愛好家はよく「気持ちが引き締まる」とか「字がうまくなった気がする」とか、精神的なメリットを語ります。モノ系の雑誌などでも強調されているのは「所有の喜び」です。

そういう好事家的なもの言いもわかるのだけれど、僕は、万年筆は、もっと実用品として、すぐれた面があると思っています。まとめると次の通りです。

- **筆圧が要らないので、速記できて疲れにくい**
- **使えば使うほど、書きやすくなる**
- **インクの入れ替えで色を変えられる**
- **文字の表情が豊かなので書いたものが目立つ**

写真18 著者がよく使っている万年筆

CHECK!
ペリカンの「スーベレーン」（上から一番目、三番目）を愛用している

まず万年筆は、構造上、ペン先が紙に触れただけでインクが出るようになっているので、ボールペンやシャープペンより速記しやすく疲れにくい。

疲れにくいので大量に書くことができるし、速く書けることで、思考を妨げずにスムーズに紙に落としていくことができます。

ジーパンや靴のように「なじむ」ことは、意外と大きなメリットで、書く動機になります。手で書くのはちょっと面倒だな、と思うときでも、**「ペン先を育てるため」だと思えば、ボールペンで書くよりは生産的な行為に思える**のですね。だから僕は、本の抜き書きをするときは万年筆を使っています。

手書きの面倒さを克服するという観点で

考えれば、気分転換でインクの色を変えるのも有効です。僕はブルーブラックのほかに緑や赤のインクもよく使います。

最後の「文字の表情」というのは、僕の見たところ「インクの乗り」によるところが大きいようです。万年筆で引いた線をよく見ると、引き始めと末尾では、インクの濃さにムラがあります。きっとこの**濃淡の差が、ほかのペンで書いた文字とは明らかに違うから、注意を引く**のでしょう。

付け加えるなら、これはデメリットかもしれませんが、ペン先が乾きやすいのもいいことだと思っています。乾くから、いったんキャップを外すと「書くしかない」ので、せかされている感じがして筆が進みます。

以上のような理由で、僕はボールペンに加えて、**発想するときに、万年筆をよく使うようになりました**。

どんな万年筆を買えばいいかについても触れておきましょう。

僕が愛用しているペリカンの「スーベレーン」など、高級万年筆にはそれなりの良さがあるのも事実ですが、まず試してみたいと思った人には、セーラー万年筆の「ハイエース」やペリカンの「ペリカーノ」など、一〇〇〇円前後のものをおすすめします。

使って気に入ったら、インクをインク壺から吸い上げるための「インクコンバーター」とインク壺も買ってください。コンバーターやインク壺は、メーカーごとに正規品がある

ので品ぞろえのいい文房具店に行ったほうがいいでしょう。専門家によると、故障の原因になるので、インクは万年筆のメーカーと同じものを使ったほうがいいそうです。

エントリーモデルのほとんどは、インクの入ったカプセルを差し込んで使う「カートリッジ式」です。これはインク選択の幅が狭いのが難点ですが、コンバーターをつけて「吸引式」にすれば、解決できます。

書き味のいいペンを持つことによって、アイデアがよく出るような気がする。この**「気がする」というのが意外と重要**だと思います。

ほかにも、万年筆のように筆圧不要で豊かなタッチが出せるペンとして、筆ペンも使えます。

写真19 筆ペンを持ち歩く

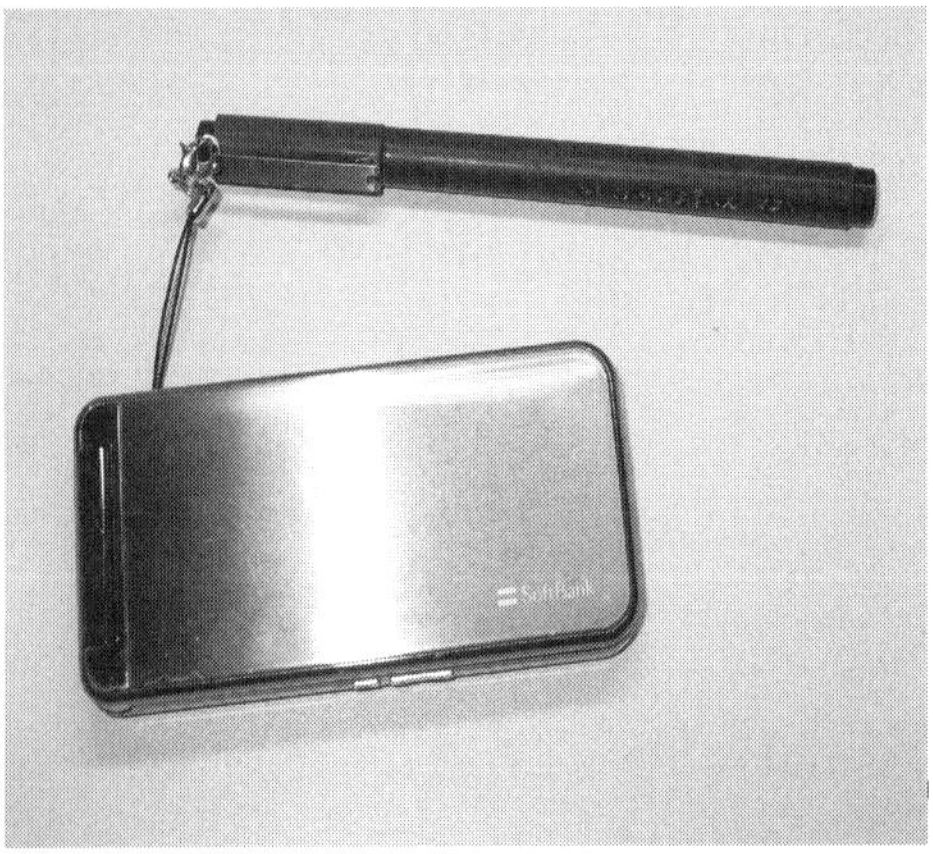

CHECK!
呉竹の「携帯筆ペン」をストラップがわりにしている

SKILL 3

アウトプット

——「型」と「道具」で自分を囲い込む——

To Do 23

新聞一面の六〇〇字コラムを毎日書き写せ

Results

「わかりやすい文章を書く能力」で社内ナンバーワンになれる

さて、知的生産の中でも最も重要な「アウトプットの能力」を高めるには、どうすればいいでしょうか。

やはり、**とにかく書くこと**です。

書くものは、ブログでもメールでも、なんでもかまいません。

ただし、書いている途中で、

「どんなノリで書けば気持ちが伝わるだろう?」

「もっと的確な言い回しはないかな」

「どんな文章展開にすれば理解してもらえるか」

と、悩みつつ、「ああでもない、こうでもない」と時間をかけることがなければ、あまり意味がないと思います。

とは言え、「悩みつつ書く」のは疲れる。明日の仕事に備えて早く寝なきゃならないのに「何時間かかっても、何度でも書き直す」というのは現実的ではありません。

では、体力づくりのためにジョギングをするように、一定の時間で、着実な成果が出る訓練をしたければどうすればいいか。

僕が提案したいのは、**新聞の「コラム」を書き写すこと**です。

「写経＝書き写し」は、古くからある文章修練の方法ですね。「本を写す」というととてもストイックな感じですが、**短い「コラム」ならば、テンポ良く短時間で作業できます。**

新聞コラムとは、一面に載っている短い時事読みもののこと。朝日新聞は「天声人語」、読売新聞は「編集手帳」、日経新聞は「春秋」、産経新聞は「産経抄」、毎日新聞は「余録」と、全国紙には必ずあるコーナーです。

僕は、二〇〇八年の一二月から、日経の一面コラム「春秋」を書き写しています。一年以上やってわかったメリットをまとめると、次のようになります。

- **毎日、新聞という「モノ」として届くので忘れにくい**
- **六〇〇字と短いので、一五分で書き写せる**
- **構成は必ず四段落の「起承転結」とわかりやすい**
- **文章に個性や変な癖がないので安心して写せる**

- マスコミで使われている一般的な表記や言い回しが身につく
- 毎日、最新の話題が届くので「古い話」にならない
- 政治や歴史、現代史に対する理解が深まる
- ウェブや携帯電話からでも読めるので出張先や海外でも作業できる

以上のことはおおむね、どの新聞でも同じですが、個人的に、読者には日経の「春秋」を勧めます。

当たり前ですが、日経に比較すれば他の新聞は政治色が濃いので、どうしてもたまにイライラすることがあるのですね。その点、日経はコラムの主張具合がちょうどいいというか、「経済に関係のないことは言わない」というスタンスが感じられるので、変に影響を受ける心配がありません。

午前中、まず一読し、昼休みや家に帰ってから、ノートに書き写す。一日一五分なら、習慣化できます。書き味のいい万年筆やボールペンを使えば、おっくうなときでもなんとか

写真20
日経の一面にある「春秋」

CHECK!
政治色が薄くて経済史ネタも多いのでおすすめ

こなせるものです。

毎回、文章に集中することができなくても構いません。

何日かに一回「そうか、こう書くのか」という発見ができれば充分です。

このトレーニングを続けて、名文家になれるかどうかはわかりません。

しかし、会社の中で、「あの人は文章力がある」「あの人にうまくまとめてもらおう」と言われるくらいには、簡単になることができるでしょう。

文章を磨くため読書やブログを書いている人はいても、このような実効力のあるトレーニングメニューを毎日こなしている人など、まずいません。

だからこそ、**これで文章力を少し鍛えれば、簡単に集団の中でトップクラスになることができる**のです。

To Do 24

辞書・事典を引いてコラムをじっくり解剖しろ

Results

展開や伏線、オチなど「工夫を凝らした文章」を書くコツがわかる

さて、コラムを書き写したら、空き時間に応じて、次のような作業をします。

・難しい言葉を国語辞典で引く（狼狽、金科玉条など）

・固有名詞を中心に百科事典で引く（人名、地名、社名など）
・色ペンで文章を「起きた（起きている）こと」と「引き合いに出したこと」「書き手の思い」に分けてみる
・第一段落の伏線と、最終段落のオチの確認

書き写しに一五分、辞書を引いたりして「解剖」するのに一五分で、一日三〇分かけるのが僕の習慣で、だいたい寝る前の二二時から二四時くらいにやっています。

書き写すだけなら、列車の中でもできるので、空き時間を使って作業するのがいいでしょう。

誤解のないように言っておくと、僕は新聞コラムが一番すぐれた文章だと思っているわけではありません。実を言えば週刊誌のコラムの方がうまいと思います。

しかし、週刊誌のコラムは、癖がありすぎて練習には向かない。新聞と違って、いつでもどこでも見ることができないのも難点です。

新聞のコラムは、特別「面白い！」ということはないものの、毎日同じ行数で、引用をし、伏線とオチを付けているのがすごい。豊富な知識と発想力、豊かなレトリック（表現技法）を持つ人にしか書けない一種の「名人芸」でしょう。日経新聞によると、書いているのは「シニア記者」ということです。

「春秋」の構造はたいてい、

・一段落目は、関係のなさそうな話をし
・二段落目で、昨日起きたこと、最近のニュースにつなげ
・三段落目で、本で読んだことや故事、エピソードなどをさらに紹介し
・四段落目は、一段落目で紹介した話と時事ネタの関連性を踏まえたオチでしめる

という手法になっていて「起承転結」の典型です。

すごいと思うのは、まず最近のニュースの引き合いに出す「ネタ」ですね。落語から俳句、経営者のエピソード、展覧会で観たものまで紹介されているのには、「毎日よく思いつくなあ」と感心します。

次に、「オチ」で、最初の段落の伏線が、必ず回収されていることです。たまに強引なときもあるけれど、これには唸らされます。読んだだけでは気づかない場合が多いので、書き写しのメリットを感じる瞬間です。

直近のニュースから、何かを想起し、関連づけて書ける技能がコラムニストの「芸」なのでしょう。

本書の冒頭で、「読んだ文章からは確実に影響をうける」と書きましたが、書き写せば、

図09 新聞コラムを分析する（日経新聞「春秋」より）

①あるものを観察するとまず目に入るのは輪郭である。次に局部、そのまた局部と細かいところが目に入ってくる。ところが、局部が明るくなるにつれ根本の輪郭がお留守になる。ただ細かく切り込みさえすれば、自分は立派に進歩したものと考えるらしい――。

②なにやら最近の話のようだが、「素人と黒人」という芸術論で玄人をこてんぱんにしたのは95年前の夏目漱石である。「彼らの得意にやってのける改良とか工夫というものはことごとく部分的で、大きな目で見るとなんのためにあんなところに苦心して喜んでいるのか気の知れない小刀細工をする」。なんとも歯切れがいい。

③大きな目を持てるのが素人であり、「こうなると素人が偉くって黒人がつまらない」。これは芸術にとどまらない。きょう発足する鳩山内閣の旗印が「脱官僚主義」なのも玄人臭さを嫌ってのことには違いない。小刀細工に走る閣僚がないかどうか、こちらも大きな目で見ないといけない。

④蛇足ながら、漱石の言う「黒人」とはただの玄人、素人はその世界に関心を持つ普通の人なのだそうだ。真の玄人は局部も根本も理解し、つまらぬ素人は滅茶滅茶で何もわからないから、どちらも評論には及ばない、とはその通り。「イチロー選手のように天下に恥じない仕事を」と語った鳩山さんは少々気が早い。

A 用語
・夏目漱石－1807－1910
・小刀細工＝対極を見ず小策を弄すること
・鳩山由紀夫－1947－

B 段落構成
①漱石が論じた「輪郭と局部」
②玄人がしがちな「つまらない小刀細工」
③鳩山内閣は「脱官僚主義」で玄人臭さを避けた
④真の玄人を名乗るにはまだ早い

C 対比
局部：輪郭
黒人：素人
部分的：大きな目
ただの玄人：普通の人

D 素材の使い方
・漱石「素人と黒人」からの引用と要約 …… 波線（〰〰）
・鳩山内閣発足のニュースと総理のコメント …… 実線（――）
・コラム子の意見など …… 下線なし

読む場合よりずっと「伝染って」きます。

読みやすい文章のリズムや言葉選びが少しずつ身についてくるのですね。

企画書や説明資料など資料に載せるための硬めの文章だけでなく、就職や転職活動に使う自己ＰＲやプロフィール用の文章、プレスリリース、ブログやメールを書くときにも、新聞コラムのように、**展開に工夫のある文章を書くことができる**ようになります。

To Do 25

書きやすい自分専用の原稿用紙をカスタムして作ろう

Results

「書き写し」の面倒くささを乗り越えてトレーニングを続けられる

文章を書き写して、辞書を引く。

これだけを聞くと、すごくつまらなさそうに思えます。

ただ、僕は少しでも前向きな気持ちで書けるよう、万年筆を使ってみたり、新しい辞書を買ってきたり、さまざまな工夫をして乗り切っています。

そうこうしているうちに、**だんだん習慣になって、あまり面倒だとは思わなくなりました**。そんなおっくうな気持ちを克服するためにしてきた工夫のなかから、ひとつをここで紹介します。

それは、**自分専用の原稿用紙をつくる**ことです

ワードやエクセルでもできるようですが、僕は次の項目で紹介するテキストエディタ「オズエディタ2」でつくったフォーマットを印刷して使っています。

オズエディタ2は、最初からさまざまな入力スタイルが設定されていますが、「原稿用紙」という形式もあります。何も入力せずにプリントすれば、原稿用紙がいくらでもプリントできるわけです。

このソフトは、下の写真のように、メニューの「設定」↓「スタイルの設定」から、一行あたりの文字数や段組みなどを自由に変更できます。

僕がオズエディタ2でスタイル設定を変えてつくった原稿用紙は、一行の文字数が新聞と同じ一一文字です。この用紙を使えば、文章を飛ばして書き写してしまうこと

写真21 オズエディタ2のカスタム画面

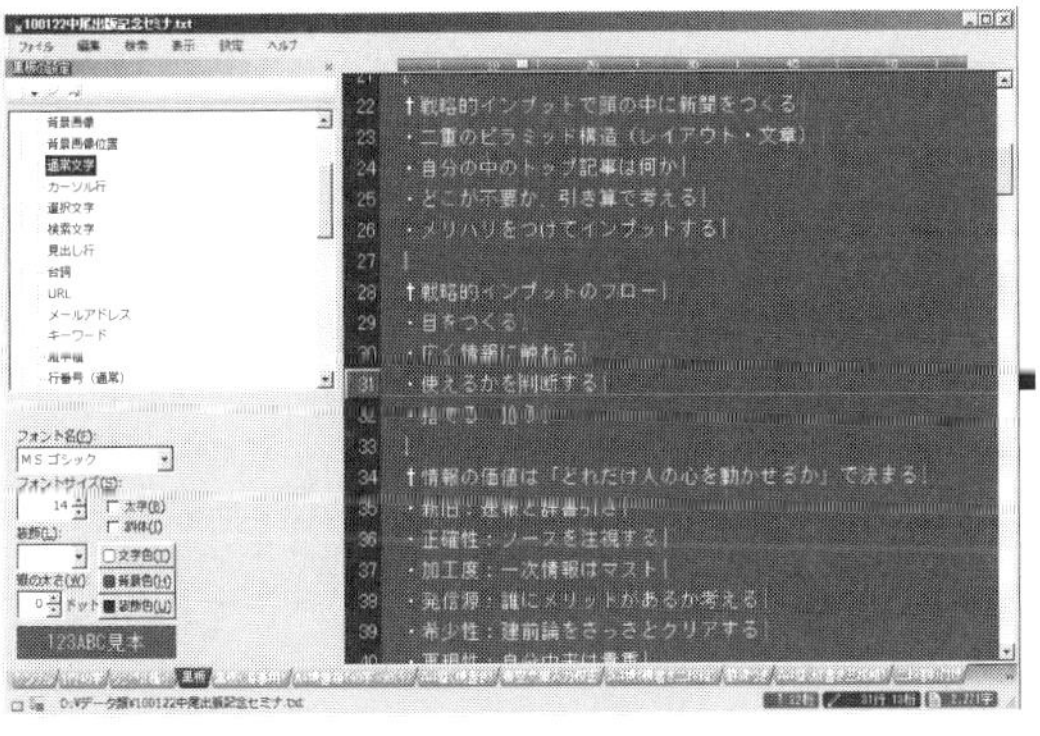

CHECK!
オズエディタ2では、文字の大きさや1行の文字数などを自由に設定できる

写真22 **自作した「新聞コラム用原稿用紙」**

CHECK!

新聞の文字数に合わせることで書き写しが快適になる

があまり起きません。それに、写し終わったとき、新聞コラムのレイアウトと同じになっているので**「写し終わった」という達成感がちょっと大きい**。

新聞を書き写すための原稿用紙のほかにも、僕は六〇〇字詰めの原稿用紙など、エディタを使ってさまざまなフォーマットをつくっています。こういった工夫は、どうしても必要なことではないけれど、**飽きがきたり、面倒になったときに気を紛らすためには、意外と役に立ちます**。

プリンタがなければ、市販の原稿用紙を使ってもいいと思います。原稿用紙は文章を書くことに特化したフォーマットになっているので、ノートに横書きで書くよりずっとストレスが少なくて続けやすくなるのです。

To Do 26

文体の「お手本」として使える本をそろえておけ

Results

文章を読んで頭を切り替えることで、書けない状態を打破

アウトプットとは、言葉をつくることです。

いい文章、うまい文章が書ければ、自分の提案を通したり、支持を集めることができる。

心に響く言葉を発することができれば、商品やサービスを買ってもらえる可能性は高くなる。

「しゃべり」も頭の中で文をつくることなので、根本的には「いい文章」をつくる能力が問われます。

そこで「文章力」が大事になるわけです。

ところが、誰でも一度くらいは、

「一体どんなものが『いい文章』なのか、よくわからなくなってきた……」

と嘆いたことがあるのではないでしょうか。

僕も、原稿をさんざん修正したあげく、「あれ？　はじめに書いたのが単純で一番良かったかもしれないな」なんてことがよくあります。

そんなときに備えて、僕がしている対策は、ジャンルごとに「お手本」としての本を一

通りそろえておくことです。

たとえば、週刊誌の連載をまとめたコラム集や、文春文庫からシリーズで出ている各年度版の『ベスト・エッセイ集』などに載っている文章は、ブログのエントリやエッセイを書くときの参考になります。

また『搾取される若者たち』（阿部真大／集英社新書）など、論文調で書かれた新書やノンフィクションは、市場調査のレポートや出張報告書など、報告形式の文章を書くときの見本としても使えます。

僕は、さらに「ですます調」「である調」「冗漫な文章」「挑発的な文章」「かっこいい文章」など、細分化した上で、本棚の「座右コーナー」に並べ、いつでも手に取れるようにしています。

これらの本を参照すれば、

「これくらい省略しても充分に伝わるんだな」

「言い回しはこうやって変化をつければいいのか」

「繰り返しになっても、こんな書き方なら違和感がないな」

というヒントが得られるわけです。「どう書いたらいいのか、もうわからん！」と頭を抱えそうになったとき、本で切り抜けることができます。

「お手本本」の用途は、迷ったときに開くだけではありません。**「頭のモード」の切り替えスイッチとしても、役に立ちます。**

自分の頭からわき出てくる言葉は、最近よく読んだ本や直前に読んでいる本の影響をよく受けているものです。ハードボイルド小説を読み終わったあとには、散歩していても、頭の中で探偵のような独白が始まったりしませんか?

だから、柔らかい文を書くときにはエッセイやコラムを、硬い文章を書くときには論文や説明文を読む、といった具合に、**わざと「慣性」をつけてやればいい**のです。

ひとつ注意点を加えておくと、「お手本」に選ぶ本は、いわゆる「名文」「美文」でないほうがいいと思います。名文、美文に目が慣れると、自分の文章が必要以上に下手に見えたり、「とてもかなわない」と思って真似する気もなくすからです。

座右に置いておく**「お手本」はあくまで、「書くのに使えるか」で選んでください。**

頭の切り替えがスムーズにできれば「どう書けばいいんだ?」と途方に暮れることもありません。

「お手本」は、仕事上の書類を書くときにも使えます。

たとえば、出張報告書がうまく書けないときには、上司の書いた見本やかつて自分が書いた「報告書のお手本」を、一度読んでみる。これで、出張報告書の文体や雰囲気が一時

的に頭に入る。忘れないうちに「いま読んだ報告書みたいな感じで書こう」と思って書けば、雰囲気のある文章を書きやすくなります。

また極端な話、あるブログの文体が「いいな、あんなふうに書きたいな」と思ったら、そのブログの一番好きなエントリをプリントしてパソコンの近くに貼っておき、それを読むことで「慣性」をつけてから、自分のブログを書けばいいのです（コピペはダメ）。

有名な書き手も、書く前の準備運動として本を使っています。文学者の板坂元さんは、『続　考える技術・書く技術』で、「物がうまく考えられなくなったら、かならずオーウェルを読むことにしている」と書いています。

「書く前に特定の文章を読んで頭を切り替える」というのは、専門家の間ではよく行われている方法なのです。仕事を進める上でも、うまく使えば大きな効果があります。

To Do 27

まずは「商用日本語」を書けることを目標にしよう

Results

書類やメールの文章が格段にうまくなる

ある程度、形式の決まった手紙やビジネス文書が中心だった昔に比べて、現代のビジネスパーソンは、いろいろな文章を書き分けないといけなくなりました。

コミュニケーションは、電話や面会に対してメールの割合が増えているし、集客や販売

促進にメルマガやブログ、SNSを使うケースも多い。ビジネス文書といえども、読ませる工夫やわかりやすさが求められています。

さて、このようないろいろなメディアに、いろいろな文章を書かなければならない時代には、どのような文章技術を身につければいいのでしょうか。

僕がよく言うのは「商用日本語」というものです。

「商用日本語」とは、雑誌や新聞、ビジネス書、広告コピーなど、「商品として売られている文章」への僕の勝手な呼び方で、

・字面がいい
・読みやすい
・わかりやすい

というポイントを押さえている文章のことです。

小説や詩のように、読み手を感動させたり唸らせたりする必要はありません。ただ**「読んでもらう」「メッセージを伝える」ということのみに特化した文章**のことですね。この本も、僕の考える「商用日本語」で書いたつもりです。

ほかに例を挙げるなら、次のような、ファミリーレストランのメニューにある説明書き

も僕の考える「商用日本語」です。

「特製デミグラスソースで食べるおすすめのハンバーグ。季節の栄養がたっぷりの野菜と、レンコンのはさみ揚げに、ポテトを添えました。おいしさもボリュームも◎の欲張りな一皿です」

これは、何も気になるところはない文章ですが、注意深く見ると、

①何味のハンバーグか
②ほかに何が付くか
③食べる結果として得られる効用

とメニューを選ぶのに必要な情報を順序立てて、過不足なく伝えてくれているのがわかります。「季節の栄養」とか、じっくり見れば「?」な表現もあるけれど、普通、メニューを見てそこまで考えないので違和感はない。まさに「余計なことを考えさせずに注文の参考にする」という目的のためだけに特化した文章と言えます。

文章は、パッと見たとき、字面がよくなければ読んでもらえません。

読んでもらえなければ、わかってもらえない。

わかってもらえなければ、笑わせたり、泣かせたり、挑発したりと、読み手の心を動か

すことができない。

「字面をよくすること」はあらゆる文章が直面する最初のハードルなのです。

まず、この何の特徴もない「商用日本語」というものをマスターして、少なくとも「読んでもらえる」というラインをクリアできるようにしましょう。

「商用日本語」を書くのにセンスや才能は要りません。ごく単純に、ひらがなを多くしたり、難しい言い回しを避けたりと、

「読み手に負担をかけないよう、親切に書くこと」

が最大のコツです。

同じような考え方を採っている文章指南の本として、僕は次の三冊を勧めます。これらは僕のバイブルのような本で、ことあるごとに読み返しています。

・『日本語の作文技術』（本多勝一／朝日文庫）
・『文章作法入門』（中村明／ちくま学芸文庫）
・『超・文章法』（野口悠紀雄／中央新書）

ここに挙げた三冊の本から「商用日本語」のルールを覚えておけば、企画書や報告書、

メール、ブログのエントリなどでも、読み手に親切な文章を書くことができます。

ただし、「伝えること」に特化した文章は、新聞記事のような無味乾燥な文になってしまう危険性もあります。

社内向け連絡の文書などはともかく、メールやブログの文章は、多少、読み手に対して「あなたに、ぜひ読んでほしいのです」というサインを送る必要があるでしょう。

これを僕なりの言葉で言うと、**「愛想のいい文章を書く」**ということになります。

以前、大前研一さんがラジオで「やまとことばの強さ」という話をしていました。

一九九五年の東京都知事選で青島幸男さんに敗れたとき、大前さんは、自分は政治の世界には向いていないと思ったそうです。その決め手となったのが、青島さんが選挙で使っていたメッセージ「都政から隠しごとをなくします」でした。

「これはすごい『やまとことば』だな、と。私だったら『透明性を増す』とか言ってたはず。さすが作家だ」と大前さんは語っていました。

この話を聞いて僕が思ったのは、**瞬間的に人の心を動かすための言葉に要るのは、論理性ではなく「親和性」**だということです。「隠しごとをなくす」は、あいまいな言葉だけれど、小学生でも意味がわかる。お年寄りから若者まで、心にスッと入ってくる言葉でしょう。

図10 やまとことばを使って「愛想のいい文章」を書く

漢語		和語
破壊する	→	壊す
確認する	→	確かめる
選択する	→	選ぶ
到着する	→	着く
健康	→	すこやか
背後	→	うしろ
中心	→	まん中
相違	→	違い

僕が言う「愛想の良さ」とは、このような言葉自体の平易さに、読んだときの「語呂」、文字にしたときの「字面」までを含めてのことです。

どんな言葉が愛想がいいかと言えば、大前さんの話にも出てきた「やまとことば」です。

やまとことば（和語）とは、中国から来た漢語や外来語に対する日本語固有の言葉のこと。簡単に言えば、訓読みする言葉、ひらがなで書いても違和感のない言葉ですね。

参考までに、漢語を和語にするときの例を挙げておくと、図のようになります。

ひらがなを多くするのは、商用日本語の基本です。ページが白っぽくなることで、読み手の目にもやさしくなります。その逆

をやっているのが、いわゆる「官僚文」というやつですね。

ただ、漢字をそのまま「かな」にひらいて書けばいいというものでもありません。熟語などは、漢字のほうが「意味のかたまり」としての視認性がいいので、無理にひらがなにすると周囲に埋もれて余計に読みにくくなります。

やまとことばは、文章より会話でよく使われています。しゃべるときは、「背後から襲撃された」とは言わずに「うしろから襲われた」と言う。このようなやまとことばを多用することで、文章を語りかけてくるようなフレンドリーなものにすることができます。

たとえ内容的には硬い企画書や報告書などであっても、**文章から「愛想の良さ」を出すことができれば、読む前から好意的に受け取ってもらえる。**

結果として、内容を評価される可能性が高くなるのです。

To Do 28

書くときはWORDでなく「オズエディタ2」を使え

Results

いつでもストレスフリーに文章作成できる

さて、ここからは実践編です。

手書きするときに書きやすい原稿用紙を使うように、パソコンを使った文章作成でも、書くことに適した「いい道具」を使いましょう。

手書きで文章を書くときは、誰だって、かすれたり紙に引っかかったりするペンは捨てて、快適に書ける鉛筆やボールペンを使いますよね？

しかし、パソコンでの文章作成の場合は、作成ソフトやモニタ、キーボードといった「道具」には、ほとんど気が払われていないのが現状です。鉛筆の芯が折れたとき、書くのに支障があるのは明らかですが、パソコンは多少、意のままに動かなくても「そんなものかな」と受け入れてしまう。

とても大事なことがスルーされているのです。

だから、その**「道具」が本当に、快適に文章が書けるものかどうかチェックし、対策を講じる**。

これだけで、ソフトを立ち上げて文章を書いたり、修正したりといったことが、ぐっと身近で、簡単なことになります。自然と書く頻度が上がってくるので、結果的に文章も上達していくのです。

以降で紹介するものは、僕が毎日使っている最も重要な「書くための道具」。いわば僕が最高だと思っている原稿用紙と鉛筆です。

僕は、たまにネットカフェで文章を書いたりもしますが、

〈ワード＋ＩＭＥ（日本語入力ソフト）＋普通のキーボード〉

というスタンダードな組み合わせで書くときに感じる負荷を一〇とすれば、次から紹介

する

〈オズエディタ2＋マルチモニタ＋ATOK（日本語入力ソフト）＋メカニカルキーボード〉

の組み合わせは1くらいに感じます。みなさんの書く労力も劇的に軽くなると確信しています。

はじめにチェックするのは文章作成ソフトです。

ここで僕が言いたいことは、

「ワードではなく、文章を書くことに特化した『テキストエディタ』を使ってください」

というひとことに尽きます。次からの説明は、『情報は1冊のノートにまとめなさい』で言ったことと重複する面もあるけれど、念のため書いておきます。

テキストエディタとは、フォントサイズや太字などの装飾を含まない文字だけのデータ「テキストファイル」を編集するソフトです。一番有名なソフトは、ウィンドウズに付いている「メモ帳」ですね。

テキストは、ワードでつくる「ドキュメントファイル」よりはるかにデータが軽いのが特徴です。

データが軽いと、次のようなメリットがあります。

・表示されるまでの待ち時間がない
・スクロールが速い
・入力をはじめ、挿入、コピー・アンド・ペーストなどの作業も快適
・バックアップをこまめにとることができる

僕のパソコンの場合、ワード2007で一〇万字近いファイルを開くと、パソコンが一〇秒ほど固まって、その間、操作を受け付けなくなります。また、バックアップを何分おきかにとるように設定すると、その保存作業をしている何秒かも、操作を受け付けません。

ところが、僕の使っているテキストエディタ「オズエディタ2」だと、同じような長い原稿が、クリックした瞬間に完全に開くのですね。

保存も一瞬で、固まることはない。コンピュータに負荷がかかるため、避けたほうがいいとされている「縦書き編集」も、軽快にできます。

入力するという用途に限った場合、テキストエディタはワードより快適なのは間違いないでしょう。ワードは、文章レイアウトはともかく、「入力」には、機能が過剰すぎて使いにくい道具なのです。

企画書や報告書の場合、四〇〇〇字くらいの長文になることはよくあります。「短い文章しか書かないからワードで平気」という人でも、エディタを使えば、もっと快適に作業ができます。

さて、たくさんの種類があるテキストエディタの中で、どれが一番便利なのか。

これは、どんな使い方をするか次第ですが、僕は、自分の使っている「オズエディタ2」を勧めます。ダウンロードして使い始めてから三〇日間は無料で、それ以降の起動には二〇〇〇円のキーが必要になる「シェアソフト」です。

勝手に課金されることはないので、まずは試しに使ってみてください。

「オズエディタ2」の特徴は、**気軽に「スタイル」を切り替えながら作業できる**ことです。

たとえば、写真のように、書くときは目にやさしい「黒背景」のスタイルで横書きして、プリントして読みたいときは、雑誌のような「縦書き三段組」で印刷する。こんな使い方ができます。同じデータを違う表示形式で読み込んでいるだけなので、データそのものは変わりません。

写真23 オズエディタ2の画面

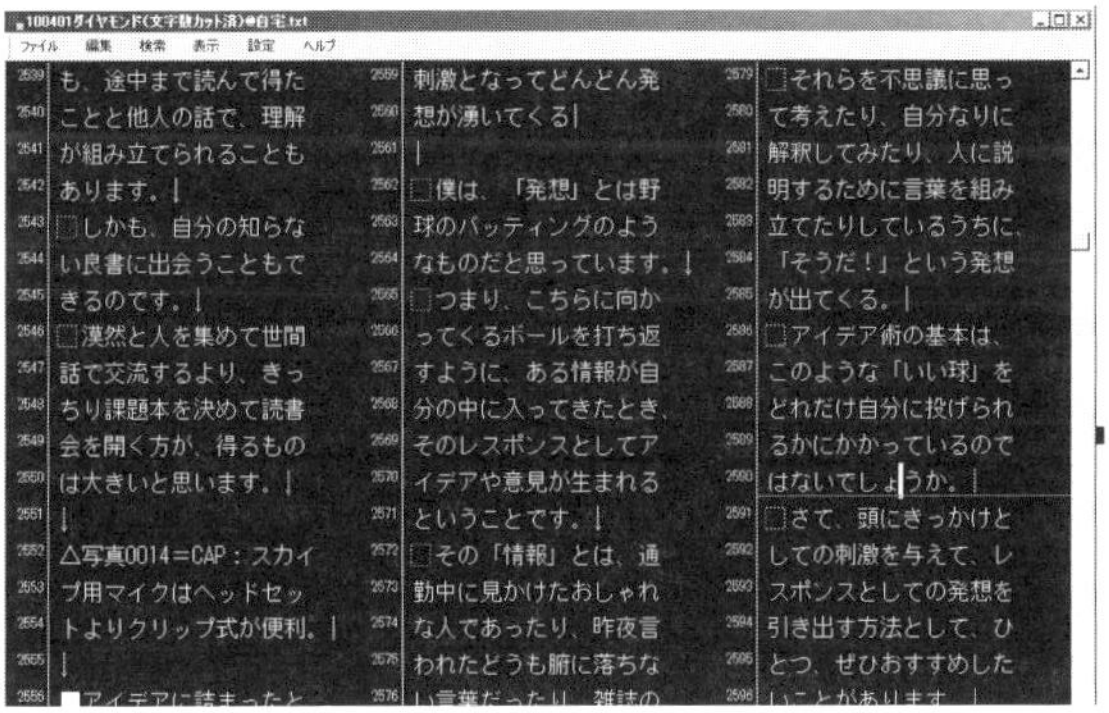

http://ospage.jp/soft/oseditor2/oseditor2.html

CHECK!
書くときは目にやさしい「黒背景」で作業する

さらに「スタイル」は、さきほど原稿用紙のつくり方で説明したように、自分でカスタマイズすることもできます。

僕は今、「書籍用」と名付けた一行四〇文字のスタイルで、この原稿を書いています。縦書きと横書きの違いはあれど、一般的な四六版の本と同じ「見た目」で書くことで、

「段落の最後の行が『す。』だけになっているから、何か書き足して調節しよう」

「箇条書きが二行にまたがって不細工だから、削って一行に収めよう」

「段落が長すぎて圧迫感があるから、二つに分けようかな」

といった判断が可能になるのです。

説明資料やブログの文章をつくるときでも、「改行をどう入れるか」によって、読

みやすさは大きく変わります。

最終形に近いかたちで、しかも軽快に動作するソフトを使って作業すれば、細かいことに気がつく「心の余裕」もできるわけですね。

僕の場合、講演会のレジメでもメールでもブログのエントリでも、なんでも「オズエディタ2」で書いてから、ワードやフォームに貼り付けて提出や送信・アップロード作業をしています。

文章を書くときの抵抗を限りなくゼロに近づけることで、よく書き、よく確認するようになるので、結果的に文章がうまくなるのです。

写真24 プリントするときは「縦書き三段組」

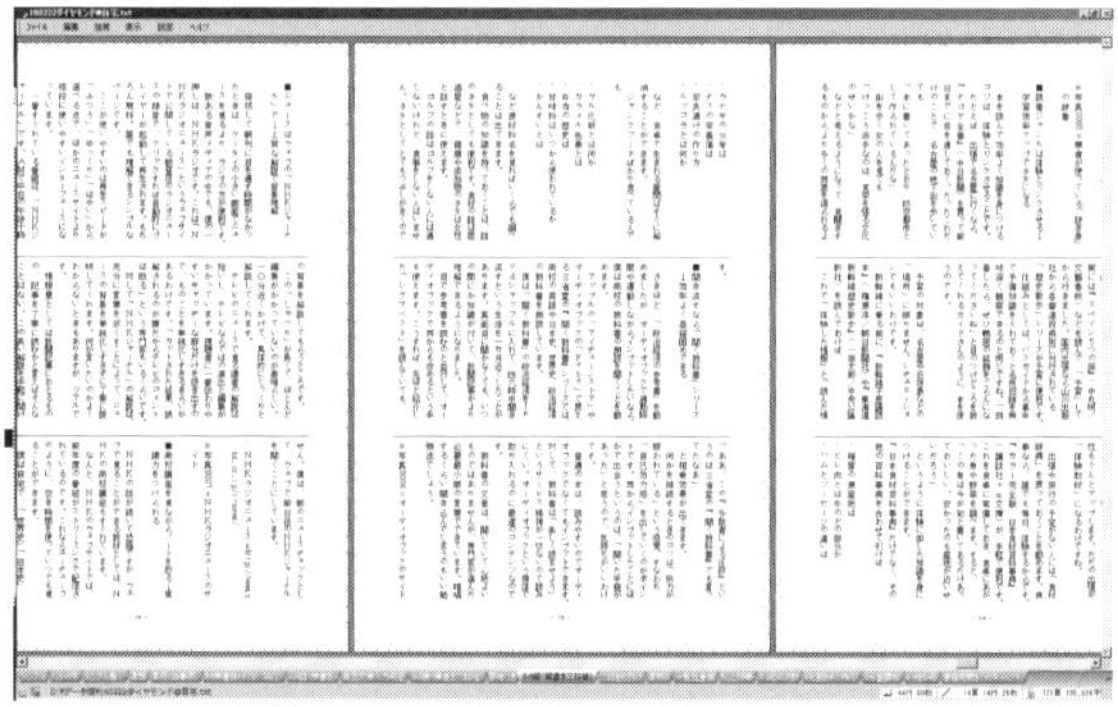

CHECK!
雑誌のようなレイアウトで読みやすい。紙の節約にもなる

To Do 29

長文は「見出し一覧」を表示させながら書け

Results

全体構造を見ながら作業できるので整理された長文をつくれる

オズエディタ2には、長い文章を書くときに強力な機能があります。

僕は左の写真のように、左肩に絶えず「見出し一覧」を表示させています。

これは「簡易アウトライン」とも呼ばれるもので、「オズエディタ2」の中でも、僕が一番すばらしいと思っている機能です。

「オズエディタ2」では、「●」や「■」などの記号が頭に付いている行を「見出し行」として自動認識します（記号は追加や変更が可能）。この本の原稿も、一、二、三ページごとに現れる項目名を「■万年筆を使う」というふうに、「見出し一覧」に表示されるようにしながら書き進めています。

たとえば、一〇万字の原稿に五〇個の「■」で始まる「見出し行」があるとしましょう。

ファイルを開いて「Ctrl＋L」のショートカットキーを押せば、写真のように、五〇個の見出しがズラリと出てくるわけです。

そこをクリックすれば、カーソルは一気にその見出し行に飛ぶ。

これで、どんなに長い文章でも、気軽に全体を参照・加筆しながら原稿を書き進めるこ

写真25 **見出し一覧を表示中**

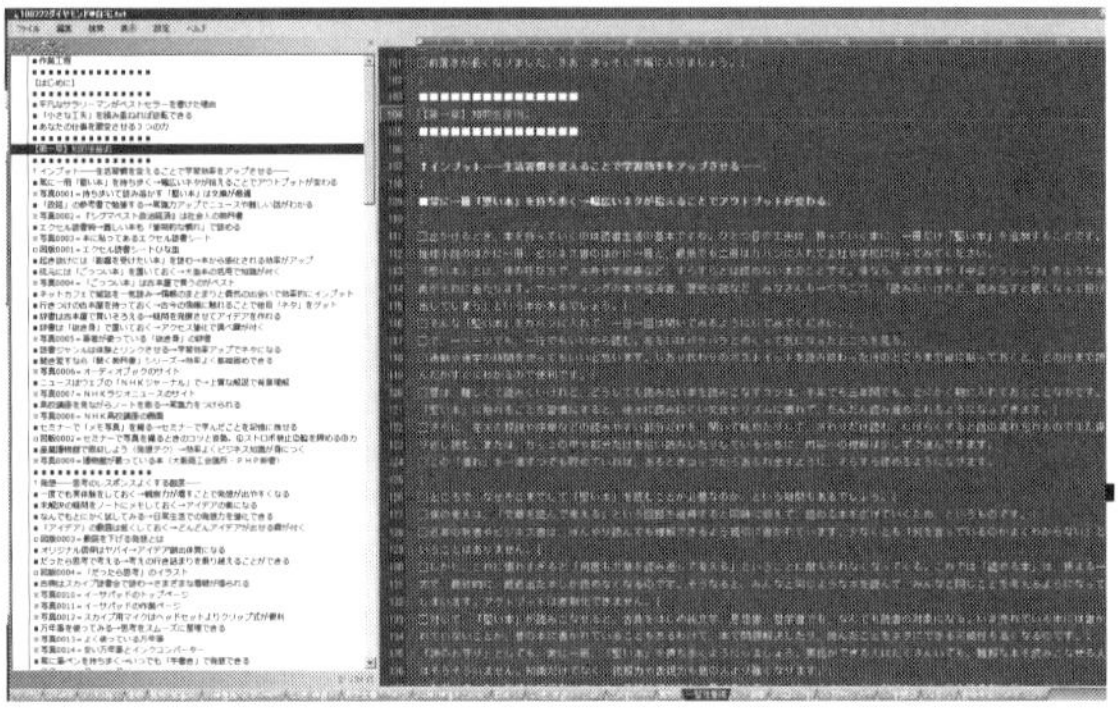

CHECK!
長い文章でも気軽に書けるようになる

とができます。

僕は、長文になってくると、自分で前に何を書いたかよく忘れるので、手軽に振り返りができるこの機能には、とても助けられています。

たとえば、「携帯向けのサービスで若いお客さんを開拓すべきだ」という提案書をつくる場合、いきなり長文を書こうとするのではなく、次のように見出し一覧を並べて、

■目的：二〇代の若い顧客を開拓する
■理由：契約数の伸びを復活させる
■現状：三〇歳以上の団塊ジュニアがメイン
■提案：携帯電話でも安心して買えるシンプルなシステムを

と、**見出しを立て、書けるものから書く**。これだけで、ずいぶん気が楽になります。

いきなり四〇〇〇字書こうとするのではなく、一〇〇〇字を四項目書けばいいと考えるのです。

しかも、このように**項目を意識しながら書いていけば、普通に前から順番に書くより整理された内容になる**でしょう。

オズエディタの快適な使い方をまとめておくと、次のようになります。

・「スタイルの設定」で自分だけの快適な形式をカスタムして書く

・「簡易アウトライン」をうまく使えば、長い文章も楽に書ける

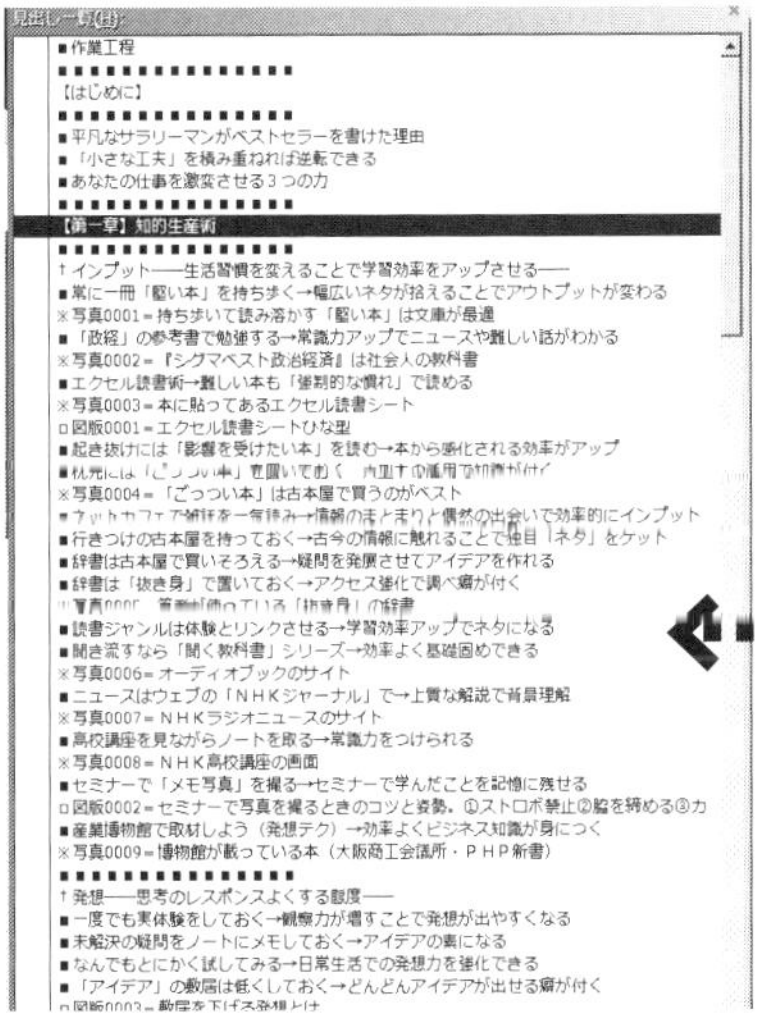

写真26 見出し一覧の拡大

CHECK!

写真25の左側の拡大。見出しをクリックすればその行に飛べる

To Do 30

PCはマルチモニタ化して常に辞書を表示させておこう

Results
辞書に頼りきることで完成度の高い文章が書ける

さらに、読んでもらえる文章を書くための環境づくりとして、パソコンを「マルチモニタ」にしておくという方法があります。

「マルチモニタ」とは、ごく簡単に言うと、一台のパソコンに二台のモニタをつないで使うこと。デスクトップが二倍になります。

これは、単純で劇的な効果のある方法です。

たとえば、添付ファイル付きのメールが届いたときは、ファイルを左のモニタで開きながら、右のモニタでメールを書く。また、左のモニタでブラウザを広げてウェブ検索しながら、右のモニタで参考ウェブサイトのURLの一覧をつくる。机の上に書類を広げることができない場合でも、左のモニタに資料を表示し、それを見ながら右で作業すればいい。

いちいちウィンドウを切り替えて参照するより、作業効率がよくなるわけです。

僕の場合は、このマルチモニタを文章作成にもフル活用しています。

右のモニタには「オズエディタ2」で作成中の文章ファイルを開き、左のモニタには、「広辞苑」などを読み込んだ辞書ソフトのウィンドウを表示させています。

こうしておけば、ウィンドウを切り替えなくても、辞書が常駐している左のモニタですぐに検索することができるし、検索結果を横目で見ながら右のモニタで入力することもできる。

恥ずかしい話ですが、**ひとつのモニタを使っていたころは、辞書を引いた後、ウィンドウを最小化し、今調べた言葉を書こうと思った矢先に「あれ？　なんだったっけ」**ということもありました。

しかし、マルチモニタで検索結果を見ながら書けるようにしておくと、一瞬でも覚えておく必要がない。ストレスが少ないので、**ちょっと気になる、自信がない、という程度でも「調べてみよう」という気になります**。

こんな僕でも、たまに読者や編集者から「文章が平易でわかりやすい」とか「言い回しがうまい」とほめてもらえるという嬉しいことがあります。

こういうことを言ってもらえる文章が書けるのも、**辞書で「表現が正しいか」「そういう言い方があるか」といったことをいちいち確認しながら書いている**からです。

僕は、パソコンを持ち歩かない日でも電子辞書は必ず持っているし、ケータイのブックマークには「ＹＡＨＯＯ！辞書」を登録しています。**辞書がなければ、たとえプロでもまともなものが書けない**のを知っているからです。

写真27 マルチモニタで辞書を常に表示させる

CHECK!
常に確認しながら書けば上手い文章が書ける

逆に言うなら、辞書をちゃんと引いて、確認しながら書けば、誰でもプロ並みの文章が書けるということです。

文学作品を書くのでもない限り、「文章上達法」なんて大げさなものは要りません。

辞書をこまめに引くだけで充分なのです。

これはビジネスの書類でも同じですね。怪しい言い回しや誤用があると、中身や書いた人の能力まで疑われてしまいます。

紙の辞書を引くのは面倒でも、**マルチモニタ環境があれば、辞書を引くのがおっくうにならず、上手い文章が書けるようになる**のです。

To Do 31

「ATOK」をインストールして変換効率を上げよう

Results

書くほかに検索ワードやメールなどの入力効率もアップ

次は「入力効率」を考えてみましょう。

あなたが使っているパソコンは、いつも思い通りの変換がサクッとできますか？　トンチンカンな変換候補が出てくることはないでしょうか？

少しでも心当たりがあるなら、日本語変換ソフトの「ATOK」を買って、インストールしてみてください。マイクロソフトの「日本語入力用IME」より、はるかにストレスなく変換できることに驚くはずです。

僕は、ATOKを使い始めてからまだ二年くらいなのに、すでに手放せなくなりました。ATOKの入っていないネットカフェのパソコンでメールを書いていると、漢字変換の効率が悪くてイライラします。

変換が賢いことは、ただ「安倍晋三」が一発で出る、というだけではありません。予想以上にパソコンの作業を効率化させます。ウェブに検索キーワードを打ち込んだりファイルの名前を入力するのもぐっと楽になるのです。これは発見でした。

写真28 ATOKの「予測変換」

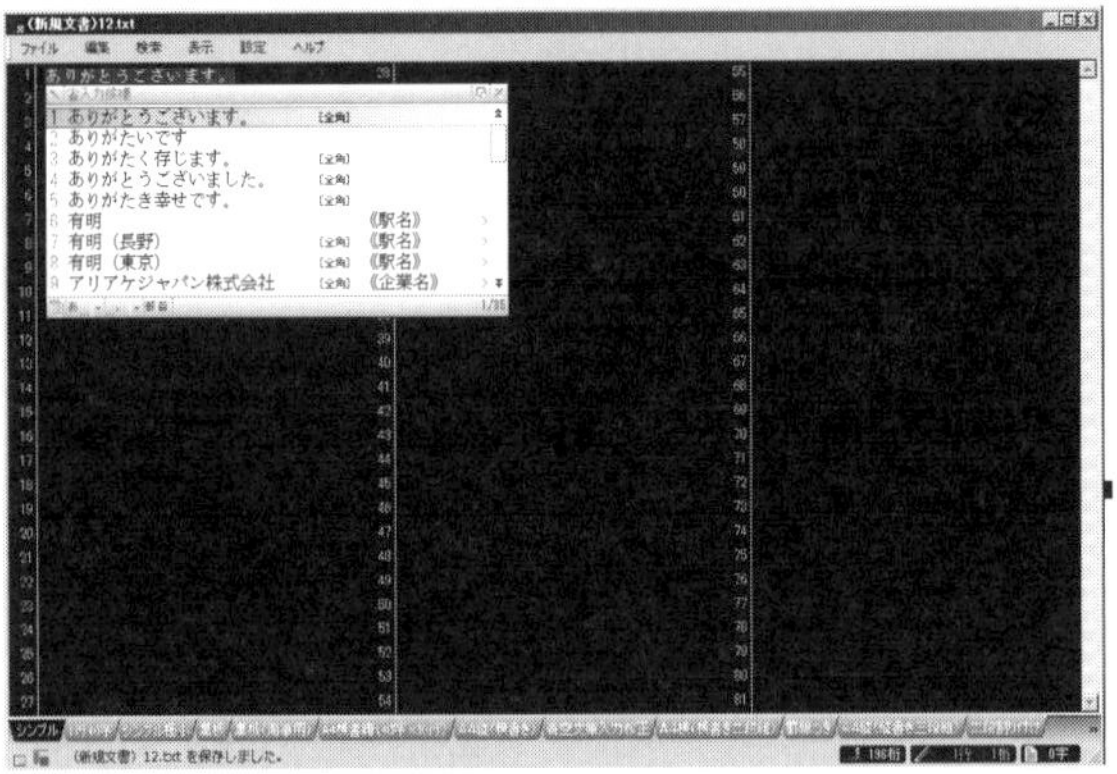

CHECK!
「あり」と入れてTabキーを押すとよく使う言葉が候補に挙がる

予測変換機能も意外に使えます。この機能は、携帯電話でメールを打っているときに「おは」と入れた段階で「おはようございます」と候補が出てくるのと同じで（あれも多くはＡＴＯＫですね）、途中までの入力でも予測して変換してくれるというものです。

今「あ」と入力して、ｔａｂキーを押すと「アウトラインプロセッサ」と出てきました。「い」だと「インスタントコーヒー」、「う」だと「受け取ってしまう」でした。

わざわざ辞書登録しなくても、「あり」で「ありがとうございます」、「よろ」で「よろしくお願いします」と出てくる。**メールを書くときにもタイピング回数を大幅に減らすことができる**のです。

僕も便利だと聞いていてもなかなか買わなかったので、現状のＩＭＥに慣れきってバリバリ使っている状態で、もっと便利な変換があると言われても、ピンとこないのが普通だと思います。

でも、「変換」のようにあらゆる作業に関わってくるものなら、少しの改善が大きな効率化につながる可能性があります。臆せずコストをかけてみるべきでしょう。

よく考えれば、ワードもＩＭＥも日本語を入力するためにつくられたソフトではなく、「日本用にローカライズされた英文作成ソフト」にすぎません。**「日本語エディタと日本語変換ソフトで書いた方がいい」**というのは、当たり前の話です。

テキストエディタという使いやすい原稿用紙に、ＡＴＯＫというすらすら書けるペンで書く。僕はこれが文章作成に限らず、パソコンで快適に仕事をするための鉄則だと思っています。

To Do 32

キーボードは自分で選んだ押し心地のいいものを使え

Results

パソコンに向かうときの苦手意識をクリアできる

最後にチェックするのは、キーボードです。

ＡＴＯＫより、さらに「現代のペン」に近いのがキーボードでしょう。

あなたは、今使っているキーボードが気に入っていますか？

毎日触れるものである以上、キーボードもある程度、自分で納得したものを使ったほうがいいことは間違いありません。

そもそも**携帯電話や腕時計にはこだわる人が多いのに、それよりよく使うキーボードが「どうでもいい」というのはヘンではないでしょうか？**

一度、家電量販店に行って、いろいろなタイプのキーボードを試してみてください。勝手にソフトをインストールするのは禁止でも、キーボードを換えることはＯＫの会社も多いはずです。

さて、キーボードを選ぶときの最大のポイントは、「押し心地」です。

押したときの感覚が気持ちよければ「入力してみよう」という気持ちが起きてきます。

書くのが嫌なときでも、気持ちがいくらか楽になる。手書きするときに万年筆を使うのと同じことですね。

わずかな効果ですが、ＡＴＯＫやテキストエディタなどの工夫と合わされば、パソコンに向かうときのモチベーションがぐっと上がります。

個人的に、初めてキーボード売り場に行く人は、まず「メカニカル式」のキーボードを

試してほしいと思います。

というのも、多くのオフィスで使われているのは、パソコンを買ったときに付いてくる「メンブレン式」と呼ばれるキーボードだからです。メンブレン式しか使ったことがない人は、メカニカル式の歯切れのいい押し心地が、気に入る可能性が高い。

僕も、数年前にメンブレンをやめて、ダイヤテック製のメカニカルキーボード「FKB－89J」（メーカー生産終了）を愛用しています。タイピングしたとき、キーのひとつひとつがしっかり沈み込む感覚が魅力です。

これは、あくまで僕の主観ですが、参考までに、押し心地でキーボードを分類すると次のようになります。

・メンブレン式……付属のキーボードに多い。ゴムの膜を押すような感覚
・メカニカル式……値段がやや高い。カチャカチャ鳴ってレトロな感じ
・パンタグラフ式……ノートパソコンに多い。浅くてペタペタした押し心地

ほかにも、キーボードの世界には、人間工学に基づき、キーを左右に分割した「エルゴノミクスキーボード」や、押し心地がとてもいい「静電容量無接点」と呼ばれる高価なキーボードなど、珍しいモデルがあります。僕も今のキーボードが壊れたら試してみよう

写真29 キーボードに凝る

CHECK!
筆者が愛用しているメカニカルキーボード。かなり打鍵音がする

と思います。

パソコンでの文章作成については、もっと「道具」の面から商品開発が進むことを期待しています。

PART 2

生きた時間をつくる

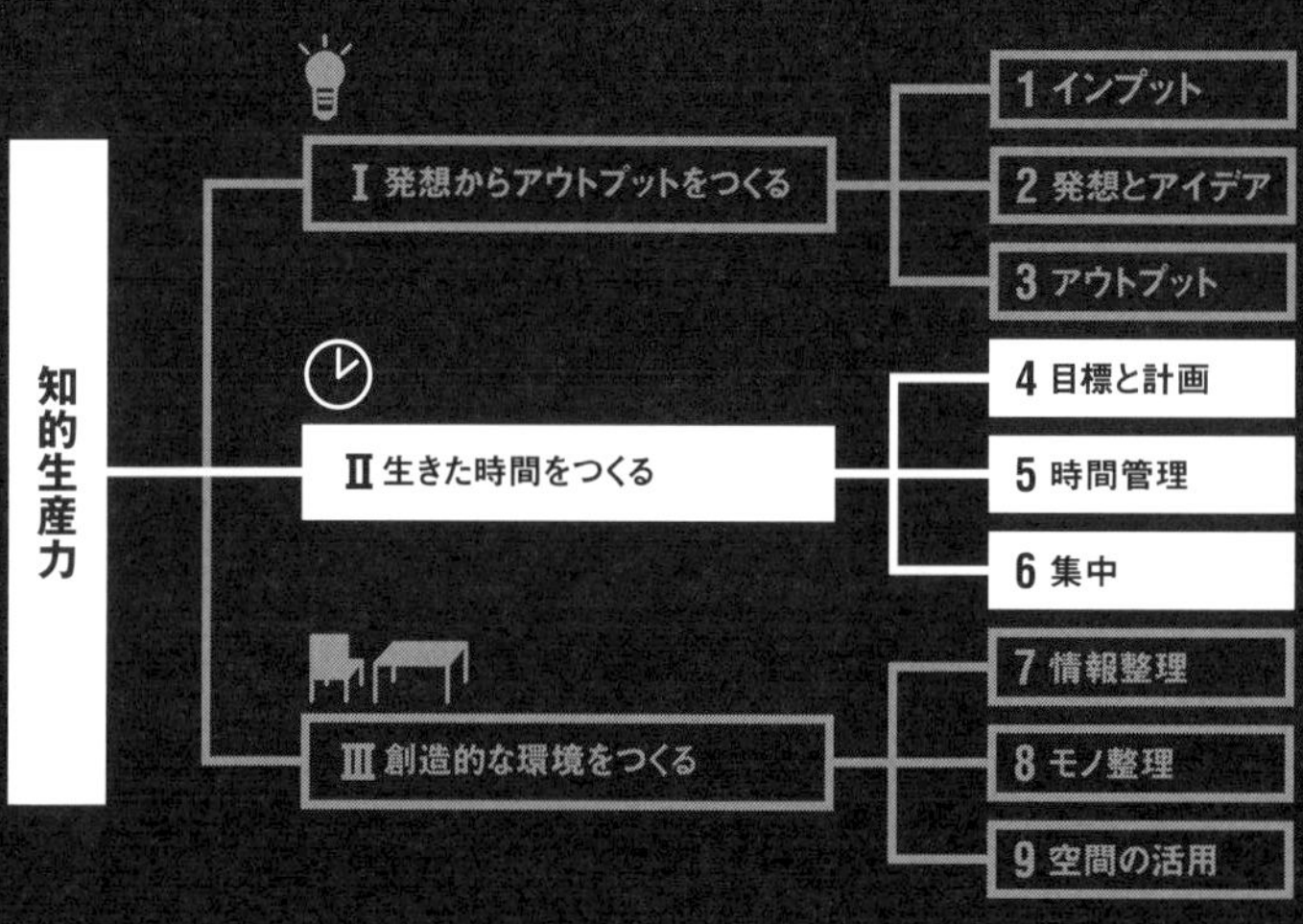

SKILL 4

目標と計画

――「自分会社」の経営計画を持つ――

To Do 33

「あと何年生きるか」とりあえず決めて年表をつくってみよう

Results

人生設計を考えるスタートラインになる

スケジューリングの基本は、「年間→月間→週間→今日」と、大きなプランから小さなプランに落とし込んでいくこと、とよく言われています。

では、基礎になる年間の計画は、何に基づいて立てればいいのでしょうか。

社会人になってすぐ、僕は先輩からこう言われたことがあります。

「会社で長期経営計画から中期計画、年度計画と目標を立てるのと一緒で、個人も計画を立てて暮らしていかないとダメだよ」

言われてみれば、個人にも長期計画があったほうがいいことはわかります。

ところが、「自分の○カ年計画」を書こうとして、いきなりつまずきました。

目標として、何を書けばいいのかわからない。

個人の場合は、たとえば、自動車メーカーのように、「新興国市場でシェアを五○％以

上にする」という具体的な数値目標を立てにくいのですね。営業職なら売上や契約数といった数値目標があるけれど、管理部門はそうもいかない。それに小さい会社にいた僕にとっては、「年収を倍にする」といった目標も現実味がありませんでした。

個人の人生を会社の経営計画のようにマネジメントするにはどうすればいいか。

いったん長期の「自分経営計画」をつくってしまえば、それをベースに中期、短期の計画だってつくりやすくなるでしょう。

ただその「最終到達地」がわからない。

そこで考えついたのは、仕事を進めるのと同じように**「〆切から逆算する」**という方法です。

会社などの組織と個人の一番の違いは「永続するかどうか」にあります。老舗企業の中には創業から一〇〇〇年くらい続いているところもあるのに対して、人間はどうがんばっても一〇〇年くらいで死ぬ。

というわけで、個人の人生目標は、会社のように「業界で売上ナンバーワンを目指す」という永遠のテーマではなく、

「死ぬまでに何をしておきたいか」

「何歳までにどんな人間になりたいか」

います。

「若いうちに何を身につけたいか」

と、**「死」や「老い」といったリミットを意識して、シビアに決めておく**のがいいと思います。

こんなことを考えたのは、タリーズコーヒーインターナショナル社長の松田公太さんの本『仕事は5年でやめなさい。』（サンマーク出版）を読んだときのことです。松田さんは、ご家族の死因や没年齢から推定して、「死亡推定年齢は五〇歳にしました」（二九ページ）と書いていています。これにショックを受けて、僕も、

「誰でも死ぬことは間違いないのだから、リアルに想像しておいたほうがいい」

と思うようになりました。

いつまで生きるのか、本当のことは誰にもわかりませんが、僕は今のところ特に悪いところもないので、これを考えた当時の平均寿命、七八歳にしておきました。厚生労働省によると、二〇〇八年の日本人の平均寿命は、男性が七九歳、女性が八六歳です。

〆切の決まっていない仕事は「明日でもいいか」「時間ができたらやろう」と考えて、ずるずる先延ばしになってしまいます。人生という事業でも寿命という〆切を決めておかないと、そうなってしまうでしょう。**「仮」であっても寿命を意識して、覚悟しておくことが、目標設定の第一歩**だと思います。

いつまで生きるかなんて誰にもわかりませんが、**「平均寿命まで生きる」とととりあえず決めてしまえば、「自分はこの人生で何がしたいのか」を考える土台ができます。**

先ほど挙げた本で松田さんは、残りの寿命を、五年ごとに分割して、目標を割り振っていく「自分未来史」というものを提唱していました。未来の履歴書のように「三五歳、大手の○○社に転職」「四○歳、管理職になる」という具合に、書き込んでいきます。

この方法は「〆切を意識する」には、いい方法です。

ただし、本当に書くとなると、大変ですね。

もっと気軽に「未来史」をつくることはできないでしょうか。

僕が、おすすめしたいのは、エクセルを使う方法です。

自分の寿命を決めたら（迷ったらキリのいいところで八○歳にしておきましょう）、それをエクセルの年表に落とし込みます。

「列」に家族や親族の名前を入れ、「行」を一年とします。一行目は、自分の生まれた年にしておきましょう。

僕の場合は、次のように「列」は、左から「西暦」「和暦」「自分の年齢」「仕事や生活の出来事」「家族の年齢」「世間の出来事」としました。

図11 エクセルで「死ぬまで年表」を作ってみる

西暦	和暦	宣之	仕事・生活	妻	子供	父	母	兄	世間
1981年	昭和56年	0歳	誕生			30歳	27歳	2歳	ポートピア81
2008年	平成20年	27歳	著作家デビュー	25歳		57歳	54歳	29歳	北京五輪
2021年		40歳	ついに40代	38歳	12歳	70歳	67歳	42歳	
2059年		78歳	平均寿命	76歳	50歳				

この表を見て、しみじみ思うのは、
「人生の時間は思ったより限られていて、なんでもできるわけではない」
ということですね。

こうした表をつくらずに将来の話をしても、実感が湧きません。ここに書いたような説明も、馬鹿げた印象を受けるかもしれない。

しかし、この「死ぬまで年表」の西暦や年齢は、途中で死なない限りは正確なのです。「死ぬことを想定する」というと後ろ向きな気がするものの、生命保険を契約するときには誰もがしていることです。「中年にさしかかってきたなあ」とか「まだ若いから大丈夫」とボンヤリ思うより、リミットを意識して、**詰められるところはできるだけ詰めておいたほうが、かえって安心できる**のではないでしょうか。

さて、この「死ぬまでの年表」ができたら、次は中期目標を考えてみましょう。

「三五歳までに税理士になる」という目標があるなら、遅くとも三二歳には勉強を始めないといけないでしょう。

会社をつくって上場させたいなら、一〇年くらいは時間がいる。引退後に歴史小説を書きたいなら、今から資料集めを始めたほうがいい。

僕は、この表をつくったことで、書くことを仕事にしていくビジョンが固まりました。この表は、「実現するために使える時間資源はどれくらいか」「どんな能力を鍛え、武器に

していくのか」を考えるきっかけにもなります。

というのも、**時間が感覚でなくエクセル表の行数で表される「量」として把握できるから**です。

この「死ぬまで年表」をパソコンでサクッとつくって、年初や年度のはじめ、誕生日などの節目に見て、自分が今、人生のどの地点にいるかを確認しておけば、冷静に人生設計ができるようになると思います。

To Do 34

成果と目標を書き出し「リマインダー」にセットしておけ

Results

目標達成に向けてセルフコントロールできる

「死ぬまで年表」ができたら、次は、短期の「自分経営計画」をつくります。

と、言っておいて何ですが、僕の場合、そこまでしっかりした計画は持っていません。だいたい三〇代のはじめくらいまでを「修行期間」と決めているくらいです。

なぜはっきり決めないか、と言うと、やはり、人生は多くが成り行きで決まるからです。「三〇歳になった。さあ年内に結婚しよう」とか「四〇歳になったから今年独立する」というわけにはいかない。僕も自分が二〇代のうちに自分の名前で本を書くことになるとはまったく思いもしませんでした。

では、計画はまったくつくる必要はないのか。

そうではありません。最低でも年に一度は、「これまでの成果」と「これからの目標」の確認だけはしておくべきです。

ただ、「成果」と言われても、パッと出てこない人も多いでしょう。

そんな人はまず、この一年を振り返って、**自分の「一〇大ニュース」を書いてみてください。**

僕の場合は毎年、大晦日かその前の日くらいに、一年にあったことを振り返って、「一〇大ニュース」を作ります。これは、仕事に限らず、私生活のことも含めて書く。

ニュースとは、なにも「大きな事件」とは限りません。

たとえば、「初めて講演した」「マラソン大会で完走した」「骨折して入院した」「引っ越しした」といった「起きたこと」「達成したこと」以外に、次のようなこともニュースといえます。

・**習慣や考えの変化**……「禁煙を始めた」「早朝ジョギングを始めた」「資格試験のためにスクールに通い始めた」「ブログをつけ始めた」「一年以内に転職することを決めた」など

・**立場の変化**……「隣の支店に異動になった」「初めて部下ができた」「社内勉強会の幹事

になった」など

・**記念もの……**「禁煙三年目」「結婚三周年」「ついに三〇歳になった」「勤続一〇周年」など

これをまず、メモ用紙にリストアップしてから、一〇個に絞り込んでランキングします。ちなみに、僕の二〇〇九年の一〇大ニュースは、一位が「子供が誕生（一〇月）」、二位は「二年連続の年間ベストセラーランキング入り（一二月）」、三位は「フリーランス生活がスタート（四月）」でした。下位には「朝型生活に切り替えようと苦しむ日々」なんてものまで入っています（いまだにチャレンジしています）。

こんなふうに、新聞や雑誌でよく見る「一〇大ニュース」という「枠組み」を利用して、なかば無理矢理に、一年間の「成果」をまとめてしまうわけですね。

さて、「成果」を形にできたら、次は、それを見ながら、来年に実現したい目標を書いていきます。

「営業成績を売上高ベースで三％増にする」といった仕事の目標のほか、「ＴＯＥＩＣで六〇〇点を取る」「腕立て伏せが一〇回できるようになる」といったプライベートの目標、「北海道に行く」といった楽しみとして「やりたいこと」も入れておきます。

書いた目標は、**最低でも週に一度くらいは思い出すような「仕組み」をつくっておく**ことが大切です。

具体的には、壁に貼っておいたり、手帳やノートに貼って持ち歩くといったオーソドックスな方法のほかに、

- 画面キャプチャ機能やスキャナで画像ファイル化して、パソコンの壁紙や携帯電話の待ち受け画像に設定する
- 「グーグルカレンダー」などのスケジュール管理用のサービスで、定期的に自分宛のメールとして届くように設定しておく
- フリーソフトの softalk（http://cncc.hp.infoseek.co.jp/）などのソフトか自分の声で、読み上げ音声のファイルをつくり、ｉＰｏｄなどでランダムに再生されるようにしておく

といった方法が、意外性があってオススメです。

こうしておくと、立てた目標が不意に目や耳に入ってきて、**無理矢理にでも思い出させ**

られることになる。目標を立てたことすらすっかり忘れるという事態は起きません。特に意識しないでも、数カ月後に、

「あっ、年初に『ＴＯＥＩＣで六〇〇点を取る』っていう目標を立てたのに、まだ何もしてないなぁ……。よし、今日の帰りは書店に行って、対策本を買ってこよう」

と「思い出し」から短期の行動計画が生まれ、さらに一カ月後、

「そういえば、『ＴＯＥＩＣで六〇〇点を取る』の目標で対策問題集は全部やったけど、それっきりでもうだいぶ忘れてるな。よし、明日から解けなかった問題に再チャレンジして、単語カードをつくる作業を始めるか。今度は、やりっ放しにならないように、パソコンで三カ月分の学習計画をつくろう」

とまた**自己チェックから改善へとつながる**。

製造業でよく言われる「ＰＤＣＡサイクル」（計画を立てて行動した上で、結果を評価し、改善を加えるという業務の流れ）が、大まかですが、自然とできるのです。

図12 目標の「思い出し」が起きるようにしておけば自動的にPDCAサイクルが回る

1. PLAN
TOEIC 600点 取る!!
年初に立てた 目標を忘れてた!! 本を買おう!!
2. DO
よし、「一ヶ月集中 TOEICトレーニング」 これをやろう
3. CHECK
TOEIC 600点 取る!!
問題集、 やりっ放しだった! 解けなかった 問題から 単語 カードを作ろう
4. ACTION
今度はやりっ放しに ならないように、エクセルで 3ヶ月の学習計画を 作ろう!
カタ
カタ

さらに、この方法は一年経ったときにも効果を発揮します。

また年末になったら、**「一〇大ニュース」を書いて、今度はちょうど一年前に書いた「目標」と比べる**のです。すると、たとえば、

「『TOEICで六〇〇点』は実現できたんだな」

「体を鍛えるどころか、一〇キロも体重が増えてしまった」

「しまった、今年もさっぽろ雪まつりを逃した」

という具合に、簡単に「目標」と「成果」を見比べることができます。達成したものが多ければ、充実した一年だったという実感が湧いて、いい気分で新年を迎えられる。

反対に、目標が達成されていないことに気がついたら、なぜできなかったのか考えてみましょう。

目標が大きすぎたのなら、スケールダウンして、もう一度、今年の「目標」に盛り込んでもいいし、「よく考えればどうしても英語が必要ってわけでもないような……」と思ったら、目標欄への繰り越しはやめて、放棄してもいい。

年初に目標を立てろ、というのは古くから言われていることですが、決意するだけでは、日々の雑事に追われてすぐに忘れてしまいます。

ずっと意識しているのも窮屈なので、忘れるのは仕方ない。それに、考えが変わって目標自体に意味を感じなくなることもあるでしょう。それはそれで構わないのです。

だから、年の間は、「リマインダー」に頼って、ある程度、自動的に目標を振り返り、年末には必ず「とりまとめ」をする、というシステムに乗せる。

こちらのほうが、**目標に押しつぶされず、また忘れ去りもせず、適度な緊張を維持して**一年を過ごすことができるのです。

正直な話、忘れかかっているときに、目標を思い出すと、「うわ……」と嫌な気分になることもあります。

しかし、その「ああ、ぜんぜんできていない。ダメだなあ……」と苦しむことも、目標に向かっていくために必要なことだと思います。そう思うのは、自分が変わらないといけないことを再確認しているからです。

To Do 35

目標から「日課」をつくり「テスト期間」を経てスタートせよ

Results

意志が弱くても「習慣」の力で続けられる

「目標」を決めたら、達成に向けて、一歩一歩駒を進める。

先ほどは、そのために「リマインダー」を使って自分にプレッシャーをかけていくという方法を紹介しました。

ただし、この方法も、ものすごく忙しいと、実行に移そうとしてもできないことがあり

ます。

そうやって「やらなきゃ、やらなきゃ、でも時間がない」、とじりじり思いながら暮らすのは、気が休まらないばかりで、あまりいいことはありません。

では、そうならないようにするにはどうすればいいか。

目標を決めると同時に、**達成できる「日課」に落とし込んでしまう**ことです。

僕は、一二月末に「一〇大ニュース」で成果を確認し、目標をつくった後、**その目標につながる「毎日できるタスク」を考えます**。

たとえば、「アウトプット」の項目で書いたように、僕は二〇〇九年に日経コラムの「春秋」を新聞休刊日を除く毎日書き写しました。その元になった目標は、

「見やすく、読みやすく、わかりやすい文章を書けるようになる」

というものでした。

この目標をたまに見て思い出しても、具体的に何をしたらいいかよくわかりません。だから僕は、何も考えなくてもできる「書き写し」をしようと思った。

それから「好きなエッセイ」「好きなコラム」「新聞コラム」の候補を立てました。

さらに一二月二五日から大晦日までの六日間を「テスト期間」として、実際に書き写してみました。その結果、これなら毎日続けられるという実感を持ってから「新聞コラム」で一年間続けることを決めた、という具合です。

図13 日課のメニューを決めるときのポイント

Point 1 あまり負担にならない程度にとどめる

Point 2 いつでも、どこでもできることにしておく

↓

毎日続けることができれば
ささやかな自信につながる

年始は、「日課」をスタートするにはもってこいの時期です。理由は「願かけ」のようなもので、年の途中でやめてはいけないような気がするから。「正月だからといって特別な感傷はない」という人にとっても、一年のうちで最も特別な日ではあることは間違いないでしょう。

ほかに、たとえば「英語の勉強をする」という目標を「達成に向けた日課」に落とし込む場合、

・問題集を一日一ページ解く
・一日五つ単語を覚える
・一日一つ例文を覚える

といった案が挙がるでしょう。

日課を決めるときのポイントは、**あまり**

負担にならない程度にとどめておくことです。年末のテスト期間に実際にやってみることで、どれくらい時間がかかるか、忙しくても、風邪を引いても、酔っぱらっていてもできるかどうかを調べておきます。

次の条件は、**いつでも、どこでもできること**にしておくことです。

先ほど例として挙げた「問題集を解く」という日課は、その問題集を家に忘れて出張するとアウトなので、日課にするのはやめておいたほうがいい。それに対して、「単語を覚える」なら、単語帳を忘れても、携帯電話やウェブで知らない単語を探せばいいだけ。こちらのほうが、より「いつでも」「どこでも」できる理想的な日課と言えます。

「日課」は、ただトレーニングになるだけではありません。

ささやかな自信がつくのも大きなメリットです。

小さなことでも、**「自分は三六五日続けることができた」**と実感できれば、誇らしい気分になり、そこからまた新しい目標に向かうモチベーションが生まれるのです。

To Do 36

「私淑する人物」を決めて生き方のモデルにしよう

Results

「自分がしたい生き方」を考える上で指針になる

目標を立てる以外に読者におすすめしておきたいのは、自分が模範にする人物を決めて

おくことです。

会社で働いている場合、上司や先輩という身近な人を尊敬できれば、とても幸運でしょう。どんどん影響を受けて成長することができます。ところが、もし反対なら、会社というチームで働くメリットは大きく目減りすることになります。

実際に、同年代の人と話していて多いのが、この「『こうなりたい』と思うような上がいない」という悩みです。バブル期以降、企業が採用を絞ったせいもあって、ベテランと若手だけの会社が多くなっていることも理由のひとつでしょう。

ベテラン社員を見て「この人みたいになりたくないなあ」と思いながら会社に行くのは辛いものです。

では、どこかで憧れるような人物に出会うまで、顔を広げていくべきでしょうか？違うと思います。二、三回会っただけの人間のことなど誰にもわからないし、その人をつけ回すわけにもいかないからです。

それより、私淑する人を探しましょう。

「私淑」とは**「直接に教えを受けてはいないが、その人を慕い、その言動を模範として学ぶこと」**（広辞苑）という意味。普通は「トルストイに私淑する」というふうに、歴史に残る偉人に使います。

「尊敬する人物は？」の質問には答えることができても、「私淑する人は？」となるとなかなか答えられないと思います。

尊敬というのは、相手に対する態度にすぎません。自分と相手の関係は途切れていて、結局は「好きな他人」でしかない。

対して、私淑は「モデルにする」という意味なので、自分の生き方をその人物に重ねようと努力しないといけない。口にするには覚悟が要ります。

たとえば、僕は西郷隆盛が好きで、尊敬もしているけれど、「私淑している」とまでは言えません。あれほどの自己執着のない生き方をすることはとてもできそうにない。

では、二宮金次郎はどうか、孔子はどうか、マルクス・アウレリウスはどうか、と尊敬する人物を「私淑」の対象として絞っていくと、

「いくらなんでも、あんな惨めな死に方はしたくないな」
「立派だと思うけれど、いい人すぎて面白味に欠けるな」
「あそこまで他人のために尽くす必要はないと思う」

と、本当に自分が望む生き方が見えてきます。

私淑すると行動も変わります。

真似るためには、モデルのことを知らなければならない。そうなると、歴史書や評伝を読まないといけなくなるし、読み方もより濃くなる。

決断を迫られたときも「〇〇だったらどうするか」と考えることで、損か得か、好きか嫌いか以外の判断軸を持てる。会えない人物だからこそ、自分でその生き方を解釈することもできます。

現代に生きる有名人より、歴史や古典で自分だけが私淑する人物を探して、心に秘めておくほうがおすすめです。本ならいつでも読めるので、人生の指針としてより実用的だし、自分のやる気を起こすアイテムとしても使えます。

SKILL 5

時間管理

――時間の空費をなくす――

To Do 37

時間の「見える化」シートで仕事に「進捗感」を出せ

Results

不安や無力感を和らげてやる気を保つ

さて、次は前向きに知的生産に向かうコツを考えてみましょう。

たとえば、仕事の「〆切」をどう時間繰りして守れるようにするかですね。

〆切を守る――。今こう書いただけで、胃がキリキリしてくるほど、僕が常に考えている課題です。

なぜ、〆切は守れないのでしょうか。

たとえば、仕事の〆切に追われていて、夜一一時くらいまで必死で作業しているときなど、「とりあえず今日は寝て、明日は四時起きしてスッキリした頭で一気に片付けよう」と思う。このような経験はないでしょうか。

しかし、四時に目覚まし時計が鳴ると「無理だ、ありえない」と思って二度寝したり、机に向かっていても七時くらいまでウトウトしたりする。

と、これは僕の話ですが、「早起き作戦」は、ほとんどうまくいったことがありません。広告制作の仕事をしている僕の先輩も、「明日始発で会社に行けば余裕だな、なんて思うんだけど、いざ早朝になると起きられない」と言っていました。

誰でも「先延ばし」をやめるのは難しいのです。

では、このような「先延ばし」は、どんな仕事で起こるのでしょう。

振り返ってみれば、ほとんどは「大変だな」「面倒だな」「手強いな」と感じるような大きな仕事に向かっているときに起こったのではないでしょうか。

大きな仕事に「先延ばし」が起こるのは、「進捗感覚」が乏しいからです。

二〇〇〇字の原稿は四〇〇字書けば、「二割が終わった」のに対し、二万字の原稿の場合は、四〇〇字書いても「たった二％か……」となってしまう。同じ仕事量でも、達成感より、残り作業の多さに目がいくわけですね。結果的に、

「二％なら、ほとんど変わらない。なんの意味があるのだろう……（じゃあ寝るか）」

と心のどこかで思ってしまう。

こうならないためにはどうすればいいか。

僕が実際にしていることは、**「進捗」を数値で示すのではなく、「量」として可視化すること**です。

図14 原稿作成のときに使っている進捗管理シート

枚数（400文字換算）				10				20				30
文字数	1000	2000	3000	4000	5000	6000	7000	8000	9000	10000	11000	12000
チェック欄												
枚数（400文字換算）				40				50				60
文字数	13000	14000	15000	16000	17000	18000	19000	20000	21000	22000	23000	24000
チェック欄												
枚数（400文字換算）				70				80				90
文字数	25000	26000	27000	28000	29000	30000	31000	32000	33000	34000	35000	36000
チェック欄												
枚数（400文字換算）				100				110				120
文字数	37000	38000	39000	40000	41000	42000	43000	44000	45000	46000	47000	48000
チェック欄												
枚数（400文字換算）				130				140				150
文字数	49000	50000	51000	52000	53000	54000	55000	56000	57000	58000	59000	60000
チェック欄												

具体的には、次のようなシートをつくって、壁にピンで留めておきます。**空白には「済」のスタンプを押していきます。**スタンプ以外にシールを貼ったりするのもわかりやすくていいでしょう。僕は、この方法を取り入れてから、何日もかかるような仕事でも、あせらずにコツコツ進めることができるようになりました。

いつ終わるのか、今どれくらい進んでいるのか、の目安がないのは苦しいものです。資料をつくっているときなど、登山の「何合目」のような、わかりやすい指標があったほうが、「あと半分だ」という具合に、**自分を励ましながら仕事を進められる**わけですね。

これは「文字数」でなくても同じことです。

テレアポしなければいけない大量の番号リストや名簿の入力作業など、「いくらやっても終わりが見えないな」と思うような仕事があれば、やる気がなくなる前に、リストの枚数や件数ベースの「進捗表」をつくってしまったほうがいいでしょう。

少々手間がかかっても、このようなシートを使ったほうが、成果を「量」として把握することができ、「進捗感」を確かに味わいながら、仕事に向かうことができます。

一度エクセルなどで「ひな型」をつくって保存しておけば、仕事が進んでいないような気がして不安になったとき、このシートを使って、なんとかモチベーションを維持しながら、穏やかな気持ちでコツコツ作業に取り組むことができます。

To Do 38

一五分だけでいいから毎日「難題タスク」に手をつけよう

Results

目を慣らすことで簡単だと思えるようになる

「進捗シート」で仕事を可視化できたら、作業は進めやすくなります。

少しずつでも、成果が量として積み上がってくると、「さらに明日もやろう」という気になってくる。

しかし、それでもやりたくないこともあるでしょう。

最初のうちはやりがいや新鮮さを感じる仕事であっても、進めていくうちに、面白さを感じなくなることもあります。進捗感があっても、どこかむなしい。最初の熱意がどこかに行ってしまうわけです。

長い間、同じプロジェクトに取り組んでいるときには、どこかのタイミングでこの「興ざめ」が起きます。

このようなときには、どうすればいいのでしょうか。

そんなときこそ、「習慣の力」を使います。

大きな作業をわずかに進めることを繰り返して、疑問を感じる余地をなくしてしまうのです。

具体的には、**同じ時間に、同じようにやると決めてしまう**ことです。

土日も休まず、出張中や旅行で机に向かうことができない日を除いて、基本的に毎日進めるほうがいいでしょう。

休むと平日に手をつけるのが余計に苦しくなるし、三日に一回などとしていると、「今日は疲れているから明日に回そう」となってしまうからです。

だから、たとえばいつも一二時に寝るとしたら、毎日、二三時四五分から二四時までは「次回プレゼン用のレジメ作成をやる」などと決めておく。

時間になると、自動的にプログラムを立ち上げるフリーソフトもあるので、携帯電話のアラームやタイマーに加えて、そのようなものを使うのも手だと思います。

この一五分は「ながら作業」をしないで、机の上にその仕事だけを出す、あるいはパソコンでその仕事のウインドウだけを広げて仕事に直面します。

僕は、講演の資料をつくる場合には、だいたい二週間くらい前にテキストファイルをつくり、一日一五分ずつ書き加えていきます。外出先でもネットカフェで加筆できるように、「googleドキュメント」を使うこともあります。これなら、会社帰りや買い物帰りに、少しずつ原稿を加筆することができます。

毎日手をつけていると、「やっと一五分経ったか」と言いながら終わる日もあれば、興

が乗って三〇分から一時間くらい、作業を続けてしまうこともあります。特に「いいぞ」と思うようなネタが思いついたときは、書きかけで終わるのはつらいので、

「この段落の最後まで書いておこう」

「後の展開を箇条書きでまとめておくか」

「この感覚を利用して、多めに書き進めよう」

となって、やめにくくなる。こうなればしめたものです。

ドストエフスキーの言葉に、「人間はどんなことでも慣れることができる」というものがありますが、僕は**「慣れ」は人間の持つ能力の中でも最強のもの**だと思っています。

実際、ファイルを開くだけでも苦痛に思うような手強い仕事も、毎日見ていたら、苦手意識が薄れて、淡々と作業できるようになったことがあります。

たった一五分の作業でも、一週間にすると一〇五分＝一時間四五分です。これを分割せず、たとえば土曜日か日曜日に二時間近く集中して机に向かうのは、とても難しいことではないでしょうか。

毎日、できるだけ集中してやると決めておけば、さほど成果は気にする必要はありません。

酔っぱらって帰ってきても、一五分はとにかく、レジメの下書きを加筆する、風呂につかりながら一五分だけ参考書を読み進める、というふうに**「形はどうあれ続ける」**と決めておけば、成果はそのうちについてきます。

To Do 39

「〆切タイマー」で数日後の〆切をカウントダウンしろ

Results

自分にプレッシャーをかけることで〆切を守る

「明日までに出張報告書を提出しろ」と言われたら必死でやれるのに、「一週間後までに出してくれればいいよ」と言われると、先延ばしに先延ばしを重ねてしまう。

こういう悩みも多いでしょう。

一週間の猶予があったのに、結局、手をつけるのは提出日の前日、しかも徹夜作業、なんてことも珍しくはありません。

明日や三日後、と言われたら「必死でやろう」と思えるのに、一週間後と言われると、漠然と「まだまだゆとりがある」と認識してしまう。

実際は、「三日後」に対して、「七日後」なだけで、ものすごく余裕があるわけではないのに。

僕がかつて働いていた雑誌や新聞の業界には、「日刊より週刊のほうがきつい」という人がよくいました。

週刊の場合、仮に金曜日が〆切なら、月曜から水曜くらいまでは「まだ日があるや」と思って、外で人と長話したりしている。で、木曜くらいから慌てだして、金曜に残業しながら必死こいて原稿を書く、となりがちだからです。

僕も週刊と日刊、両方で働きましたが、トータルの原稿量としては日刊より週刊のほうが少ないのに、精神的にきついのは週刊のほうでした。

今でも、二週間後の〆切に備えて、コツコツと仕事を重ねて計画的にやるのは苦手ですが、いろんな人に励ましてもらったり工夫をしたりして、なんとかクリアしています。

〆切までの日数を可視化するのもそのひとつです。

スケジュール帳やカレンダーに〆切の予定を書き込むだけでなく、次のように「igoogle」というグーグルの専用ページをカスタムして、**常に、〆切までの日数や時間数を表示させておきます**。

効果はじわじわ表れます。

ブラウザの「ホーム」に設定しておくと、ウェブを閲覧するときなどに必ず見ることになるからです。見てしまったせいで「うわ、あと三日しかないのか……」と、嫌な気分になることも多いのですが。

それでも、僕のように自己管理が下手な人間は、下手に自分の意志でどうにかしようより、**〆切を意識せざるを得ない環境をつくって「自分をそう仕向ける」しかない**と考えています。

この「〆切カウントダウン」をすれば、少なくとも「気がついたら明日が〆切だった」といったことは、完璧になくなります。

さらに、パソコンに毎日プレッシャーをかけてもらうことで、〆切が着々と近づいてき

写真30　〆切カウントダウンをする

CHECK!
常に〆切が目に入ることで自分にプレッシャーをかける

ている感覚をつくることができます。どんなにマイペースな人でも、うかうかしていられなくなるのです。

これは正直に言って、あまり楽ではありません。

家に帰っても、頭の五％くらいは仕事のことを考えているような感じになります。

しかし、ちょっと「もう考えたくないなあ」と思っているときのほうが、急に見通しが立ったりするもの。**辛くなるくらい考え続けるのは成果を出すためにはいいこと**です。

この方法で、うまく自分にプレッシャーをかけられれば、普段はなかなか片付かない仕事が短時間でできるような「火事場の馬鹿力」も比較的コンスタントに出せるようになります。

To Do 40

一五分刻みのタイムカードに「何をしたか」を記入していこう

Results

使途不明時間を明らかにして「大崩れ」を防ぐ

デスクワーカーの場合、夕方まで机に向かっているように見えても、本当に仕事をしている時間は意外と少ないものです。

僕の場合、何件か電話やメールをして、ウェブで地図や電車を調べているうちに、気がつくと夕方になっていて「あれ？　朝から座っていたのに仕事が進んでない……」ということがよくあります。

どうしてこんなことになるかといえば、やはり、アイドルタイムが長いことに原因があるわけです。

以前、予約するホテルについて少しでもいい条件がないかウェブで探し回ったり、ウィキペディアを見たり、メールを検索して読み返したりしていて、気がつけば、三時間以上も余計なことをしていたことがありました。

ウェブでつい余計なものを見てしまうというのは、誰もが経験があるし、知り合いには「マインスイーパー（ウインドウズに最初から入っている地雷を探すゲーム）がやめられない」と言ってわざわざアンインストールした人もいました。

その人は僕の知っている人の中でもしっかりした意志の強いタイプにもかかわらず、で

す。

このように、机に座ってはいたけれど「今日はあまり仕事が進まなかったな」という日が続いたときは、図のような「自分用タイムカード」に、朝から晩まで、何をしたかを書いてチェックしてみましょう。つくり方は次の通りです。

①起床時間から就寝時間まで、一五分ずつに割った表をつくる
②プリントしたものを持ち歩き、一五分おきに何をしたかを書き込んでいく
③生きた時間の使い方をしたころには◎をつけて、それを集計する

これを二、三日やってみると、**自分が何に時間を使っているかが目に見える形で分かります。**

僕の場合は、ウェブ以外に、眠気覚ましのコーヒーを何杯も飲んで、一日で「休憩」に一時間以上も使っていることがわかりました。「どうりで終わらないはずだ！」というわけです。

このシートの効果は自己管理だけではありません。

最大のメリットは、時間の使い方を直視せざるを得なくなることです。

まずテレビやインターネットのような、自分でもやめたいと思っている時間の無駄使い

を予防できます。

無意識のうちに面白いブログを読みふけってしまっても、一五分でシートに記入するタイミングが来るため、歯止めがきくのです。もちろん記入のタイミングを忘れていたら、その間は「空費」です。

もうひとつの効果は、**「時間資源」という考え方が身につく**ことです。

収穫のない打ち合わせの一時間半と喫煙所で無駄話をした一時間半、机に向かってバリバリ書類をつくった一時間半は、同じだけの時間を使っている。

この当たり前のことが目に見えるかたちで理解できます。たとえば、

「こんなにツイッターで遊んでいたのか……」

とショックを受けることを含めて（まあ、有意義な面もありますが）、このシートを使ってみると、さまざまなことがわかるのです。

僕は、ひとりで仕事をしているので、だらけてきたときに、このシートを使うことで、大崩れを防いでいます。

さらに、一五分のコマで時間を捉えるのは、**生活リズムをつくる上でも有効**です。

たとえば僕は、寝る時間を八時間と決めているので、朝八時から二四時までの一六時間が

図15 使途不明時間をなくすための記入式タイムカード

日付 ______________

時間	0-15分	15-30分	30-45分	45-60分	評価
0時	睡眠 →	→	→	→	◎
1時	→	→	→	→	◎
2時	→	→	→	→	◎
3時	→	→	→	→	◎
4時	→	→	→	→	◎
5時	→	→	→	→	◎
6時	→	→	→	→	◎
7時	→	→	→	→	◎
8時	仕度	朝食	朝食	お茶	○
9時	メール	ウェブ	新聞	ウェブ	△
10時	ウェブ	ウェブ	資料	→	△
11時	→	→	→	→	◎
12時	ランチ	→	本屋	→	○
13時	ウェブ	→	→	執筆	×
14時	→	TEL	→	→	△
15時					
16時					
17時					
18時					
19時					
20時					
21時					
22時					
23時					

活動時間です。つまり、一五分のコマ×六四個が、僕の一日あたりの時間資源になります。

ここから移動時間や仕事時間、食事や風呂、家事などの生活維持に必要な時間、通勤時間を引いて、余った時間が自由時間になります。

一五分で食事をしたり、風呂に入ったりするのはどう考えても不可能なので、四五分の三コマとして**あらかじめ「天引き」しておく**。このようにすると、非現実的な計画は立てられなくなってきます。

「自分タイムカード」は、生産性を意識して時間のコスト感覚を鍛えるためのツールなのです。

コピーして、手帳にはさんで、一日のスケジュールをチェックしてみると、僕の「お茶休憩」のような、空費している時間が見つかるはずです。

To Do 41

「フラッシュタイマー」でいつでもどこでも時間制限をつくれ

Results

仕事を短時間で片付ける癖をつけられる

知的生産からはやや話がずれますが、単純作業は、必ず時間を区切ってやるべきです。

僕は、机の整理や書類のファイリング、交通費の精算、連絡メールの送信など、面倒な作業をこなすときは、いつもキッチンタイマーで一五分から三〇分の時間を計って、その

時間内に終わらせるようにしています。

速度を上げるのが難しいアウトプットなどと違って、この手の作業は、急いでやればそれだけ早く終わります。

一五分で会議の連絡を回すなら、一〇分で本文を書いて、五分で宛先を入力して送信する、とタイマーをチラチラ見ながら急いで進めればいい。

下手に時間をかけても、結果は大して変わらないので、タイマーで「踏ん切り」をつけてテキパキ終わらせていくほうがいいのです。

本当は、考える仕事でも、時間を決めて試験を受けているように集中してできるといいと思っているのですが、これはなかなか難しい。二時間や三時間だと、どうしても間延びして、緊張感が続かないのですね。

僕の経験では、タイマーは「二時間で四〇〇〇字の原稿を書くぞ」と使うより、

「三〇分で一週間分の領収書を整理しよう」

「一五分でブログのエントリを書こう」

「三〇分で昨日会った人に礼状を書こう」

「一五分で明日のタスクリストをつくろう」

などちょっとした作業に使ったほうが効果があります。

「〆切効果」は短いほうがよく働くのですね。

この「一五分（三〇分）でやってみよう」という「型」を持っておくと、気が向かないときや大きな仕事に飽きてきたときなどでも、こまごましたタスクを片付けて気分転換することができます。

キッチンタイマーは、携帯電話の機能を使ってもいいでしょう。

ただ、音が出たりするのは、どうしても嫌だという人も多いと思います。そんな人は、フリーソフトの「フラッシュタイマー」をパソコンに入れて使ってみてください。音や振動でなく、ディスプレイの点滅で、時間が来たことを知らせてくれるソフトです。これを使えば、**喫茶店や図書館、新幹線の中でも、周囲を気にせず時間を区切って、雑用を片付けることができます。**

雑用は知的生産の気分転換には、もってこいです。手を動かしているうちに、いい考えが出てくることも多いので、人に頼むより自分でやるほうがいいでしょう。

写真31 時間を区切るのに使うタイマー

CHECK!
デスクの上にあると重宝するキッチンタイマー

写真32 フリーソフトの「フラッシュタイマー」

http://www.vector.co.jp/soft/win95/personal/se432038.html

CHECK!
音が出せない状態でも画面の点滅で時間を知らせる

SKILL 6

集中

――「没頭状態」をつくる仕掛け――

To Do 42

自分だけの「集中マニュアル」をデスクまわりに吊っておけ

Results

会社や自宅でいつでも集中モードに入ることができる

知的生産に打ち込むためには、集中力が必要です。

ところが、いざデスクに向かったとき、気が進まない。やる気がしない、ということはよくあります。

これは、メールや手紙を書いたりといった簡単な仕事でも感じるし、何ページもある資料や書類をつくるなど、大きな仕事をするときにも、僕はいつも思います。

はっきり言って無精者なので、ほかにも、毎朝「眠たい。もっと寝たい」と思うし、仕事中は「映画が観たい、本や漫画が読みたい」となる。

と、そんな気持ちのままでいるのも苦しいので、ずいぶん「やる気」に関する文献は読みましたし、人の意見も聞きました。

それで、思ったのは「やる気」があるからタスクに取りかかれる、または「やる気」が

ないからタスクに取りかかれない、という考え方自体が間違っているのではないか、ということです。

もちろん「尊敬する先輩からほめられて、もっと仕事がしたくなった」とか、あるいは、「報奨金が出るから必死でやる」「あの娘にいいところを見せたい」という意味で、「やる気」がメラメラと湧いて、仕事をやりたくて仕方ないという気分になることはあります。

しかし、そんなことは、そうそう起こらないし、長続きはしない。当てにしてもしょうがないと思うのです。

だから、僕は「やる気」に頼るのではなく、やる気がなくても、淡々と仕事にとりかかれるような状態、**つまり自分が仕事をしていることすら意識しない「集中モード」をどうつくるか**を考えた方がいいと思っています。

「やる気が出ない」「やる気が続かない」と悩んだり、「やる気が出てきた」と喜ぶより、「気がついたらお昼も食べずに、午後三時まで仕事していた」というような「我を忘れる状態をどうつくっていくか」というアプローチで攻めたほうが、集中は簡単になる。

まず「やる気」がどうこう、ということは言わないで、「没頭状態」に入る方法を考えましょう。

最初におすすめしたいのは、「集中儀式」としてのマニュアルをつくっておくことです。

とにかく「マニュアルに書いてある通りにやればいい」という状態は、非常に楽で、効率がいい。**余計なことを考えなくていいので「没頭状態」にも入りやすくなります。**

つまり、自分を「没頭状態」へ持っていくための自己暗示としてマニュアルを使うのですね。

たとえば、僕は次のようなリストをつくっています。

〈PC作業集中マニュアル〉
①窓を開ける
②伸びをする
③深呼吸する
④服装を整える
⑤PCを立ち上げる
⑥作業ファイルを開く
⑦ネットを切断する

これをA4用紙に四分の一に割り付け印刷し、裁断して二〇枚ほどのシートを作る。

それからパンチで穴を開け、輪ゴムを通し、押しピンで壁に吊っておきます。

で、家で仕事をしていて「どうも気乗りしないなー」と思ったり、眠くなってきたり、気がそぞろになってきたときには、マニュアルを一枚、ピッと抜き取る。そして紙に書いてある順番で、書いてある通りのことをする。

これらの行動は、僕が改良を重ねて作った、簡潔で、最も効果がある**「集中儀式」**です。

人によっては「コーヒーをいれる」とか「屈伸する」「モニタを拭く」とかいった行動に変えてもいいと思います。

このマニュアルを使うときに最も肝心なのは、

「マニュアルを使い捨てられるよう複製して、すぐ手の届くところに置いておく」

ということです。

標語のように壁に貼っておくより、**使い捨てにする方がより実用的**です。

なぜなら、ただ見ただけだと人間は忘れるからです。

頭の中で、「さあ、今からプレゼン用の資料をつくるぞ」と思っても、席に着いた五分後にはネットで買い物していたりすることはよくあります。

そんな場合でも、マニュアルをちぎって取っておけば、仮にパソコンの前に座った段階

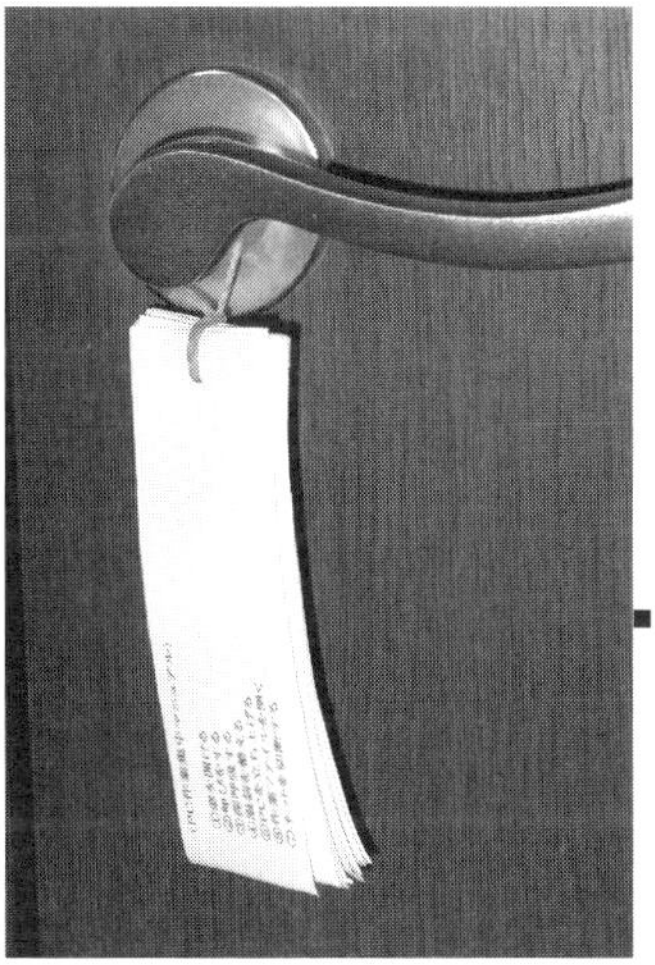

写真33

ドアノブに吊った集中マニュアル

CHECK!

マニュアルは１枚ずつ使い捨てにするのがベスト

で忘れても、机の上に置いたマニュアルを見て、

「そうだ、資料をつくろうと思ってたんだ。次の行動は『作業ファイルを開く』だな」

と意識を取り戻すことができます。

そのためには、**マニュアルは「形のあるもの」、つまり紙で広げておく必要がある**のです。

うまく仕事に入っていけないときは、野球選手がフォームを見直すように、この紙を持ってひとつひとつのことをこなします。終わったことをペンで上から消していくことすらあります。

バカバカしいと思うかもしれませんが、意欲が下がっているときには、「深呼吸してみよう」と思いつくことすらできないもの。こ

のマニュアルくらい**一挙手一投足まで指示した「お膳立て」**があったほうが、スムーズに**集中モードへ移行しやすい**のですね。

このマニュアルは、休日出勤したときや家で勉強や仕事をしなければいけなくなったときにも役に立ちます。

「自分はどんなお膳立てで集中モードに入れるか」を日頃から調べて、手帳などにメモしておくだけでも効果は見込めるでしょう。

To Do 43

視覚と聴覚を遮断し、余計な刺激を受けないようにしよう

Results

目の前の仕事に意識を集中しやすくなる

前項で紹介した「集中マニュアル」は、没頭状態へ入るための一種の準備体操です。

漠然と机に向かうより、ずっと集中モードへ移行しやすくなります。

では、この集中への初速がついた後、どうすればうまく没頭状態になって、それを長時間、維持することができるのでしょうか。

カギは、**視覚と聴覚の「絞り込み」**です。

まず視覚の「絞り込み」ですが、たとえば、机の上に、今取りかかっている仕事以外のなにも出さないようにしておく。

こうすることで、ほかの書類などに注意がそれるのを防ぐことができます。

机がすぐに片付かない場合は、会議室を借りたり、喫茶店やファミリーレストランに行ってもいい。パソコンの場合、ウェブブラウザを閉じておくのも「絞り込み」です。

家で仕事をする場合は、電気を消してしまうのもいい方法です。デスクの上だけが見えるように、電気スタンドをスポットライトのように当てる。または、真っ暗にしてディスプレイしか見えないようにする。

これで、**まわりのものに視線が移るのを防いで、より没頭状態に近づくことができます。**

聴覚の「絞り込み」は、雑音が入らないようにしておくことです。これは耳栓でもいい

写真34 **視覚の「絞り込み」**

CHECK!
周囲を遮断するために照明を落とし、デスクのライトだけをつける

のですが、僕は、耳の穴に詰めるのに不快感があるので、ヘッドホンで音楽を聞くことにしています。

一番よく聞くのは、グレン・グールドがピアノ演奏するバッハの「ゴルドベルク変奏曲」です。

これをかける理由は、仕事以外の余計なことを考えなくなるからです。ピアノだけのシンプルな演奏で曲調も淡々としているので、情景が思い浮かんだり、感情が動くことがない。音楽の感じ方には個人差があるものの、この曲をはじめ、バロック音楽やピアノソロは仕事のＢＧＭにピッタリだと思います。

とにかく、**自分が「これを聞けば集中できる」と信じ込める曲を探す**ことが肝心でしょう。

僕は、音楽以外にも、音声ファイルをよく使っています。

喫茶店で作業しているときなど、周囲の話し声が気になるときには、モバイル用のパソコンに保存してある「ピンクノイズ」をエンドレス再生してイヤホンで聞きます。

これは、ラジオの周波数が合わないときの「ザー」という音やどしゃ降りの雨にも似た雑音です。音量を上げると周囲の話し声がまったく聞こえなくなるので、**耳栓代わりの音源**として使うことができます。

音声ファイルは、次頁にＵＲＬを書いておいた海外サイト「シンプリーノイズ」でダウンロードできます。「ピンクノイズ」のほかにも「ブラウンノイズ」「ホワイトノイズ」も

写真35 BGMによく聞くグールド

CHECK!
ピアノソロやバロック音楽は無機質な感じがするので集中しやすい

あって聞き心地に違いがあるので、好みに合ったものを選んでください。

騒がしいファストフード店で作業したり難しい本を読んだりせざるを得ないときや、工事などの騒音が激しいときでも、この音源とヘッドホンを持っていれば周囲の音を遮断して、没頭状態に入ることができるわけです。

このようにちょっとしたことで視覚と聴覚を絞り込むのは、気づかないうちに仕事にのめり込んでいる状態をつくるためには大切な工夫です。

シンプリーノイズ・ドットコム　http://simplynoise.com/

To Do 44

長時間の作業は、時計を0時に合わせてから始めよう

Results

経過時間・残り時間を可視化することで時間配分できる

さっきは雑用をタイマーで時間を区切って終わらせる方法を紹介しましたが、タイマー以上に「〆切効果」を高める工夫として、普通の置き時計を「残り時間計」として使う方法があります。

使うのは、数百円で売っている目覚まし時計で充分です。

たとえば「現在時刻は一一時。午後四時までに（あと五時間）作成した企画書を先方にメールしないといけない！」という切羽詰まった状況のときは、

①時計の長針と短針を0時ちょうどに合わせる
②目覚まし時計のアラームの針を五時に合わせる

と時計をずらしてしまう。

こうすれば経過時間や残り時間は、アラームの時刻を示す針と短針の角度で表されます。

つまり、砂時計のように、**時間が「見える化」する**わけですね。

これをチラチラ見ながら作業を進めると、

図16 目覚まし時計を「経過時間・残り時間計」にする

時計を0:00に合わせて
作業開始

↓

**作業時間が
感覚的につかめる!**

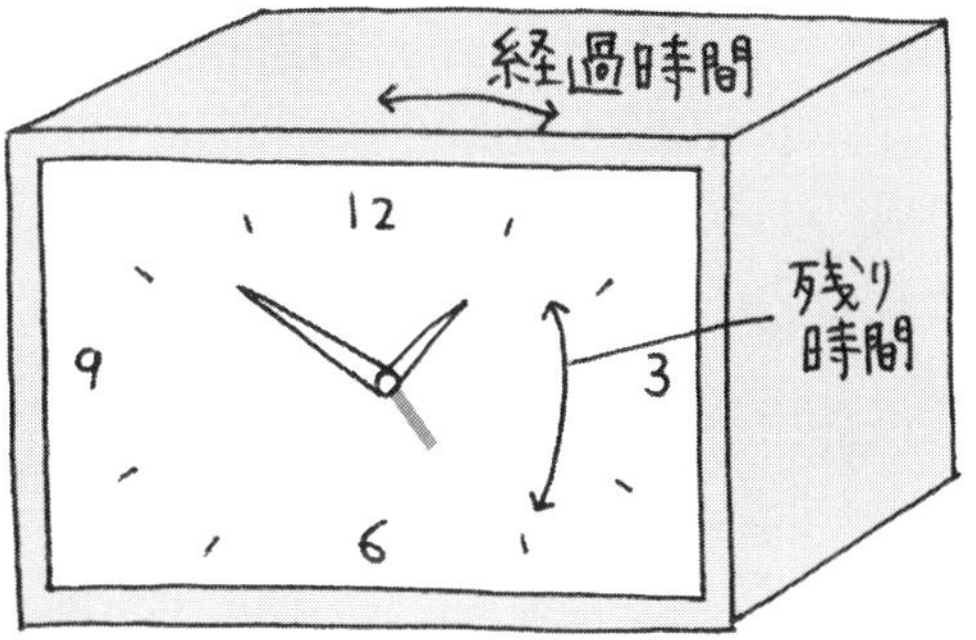

「短針がちょっと動く間にこれだけ作業できたから、間に合いそうだ」
「うわ、もう二時間も経ったのか。やばい！」
「三分の一が過ぎたから一回休憩を入れよう」
といった判断がパッと見てできるようになります。

経過時間と残り時間が、一目瞭然であることのメリットですね。

デジタル式のタイマーで「残り284分」とか「あと3時間53分」と出てきても、あまり実感が湧きません。短針の角度として見えたほうが、**感覚的な時間管理ができる**のです。

もちろん、今説明したような方法で時計を0時に合わせなくても、腕時計を見て「一一時半に始めたから、もう三時間くら

い経った な」と判断することはできます。しかし、パッと見て時間の経過をつかむのは難しいでしょう。

キッチンタイマーより、この「経過時間・残り時間計」が便利に感じるのは、一、二時間後の〆切ではなくて、三時間以上など、長丁場になるときです。

「六時間、脇目もふらずに仕事を続ける」というのも現実的ではないので、どこかで休憩や食事をはさんだりして、〆切までの時間の使い方を考えなければなりません。そんなとき、この時計で時間を「可視化」しておくと、計画を立てやすくなるのです。

問題は、普通の時計と間違えてしまうことがたまにあることでしょうか。可能なら、長針は取り外すか切ってしまうほうがいいかもしれません。「三時か、ちょっと休憩しよう」などと勘違いしないように気をつけてください。

To Do 45

無線LANの「自動接続する」のチェックは外しておけ

Results

「グーグル検索」からの脱線が予防できる

キヤノン電子社長の酒巻久さんの本『イスとパソコンをなくせば会社は伸びる!』(祥伝社)には、社員が業務外のウェブサイトを使って時間をつぶしている事例が、こと細かく書かれています。

なかでも僕が特に衝撃を受けたのは、次の分析です。

「キヤノン電子情報セキュリティ研究所のデータによれば、利益率が一～五パーセント程度の会社ではパソコンの業務外利用が全社平均で三～四割に達している。つまり全社員を平均すると、パソコンに向かっている時間の三～四割は仕事をしないで遊んでいるのである」（九四ページ）

正確に言えば、驚くというより「そうか、やっぱり誰も誘惑に勝てないのか」と、妙に安心しました。

パソコンを使って仕事をする立場から言えば、ワンクリックで面白い記事や動画が出てくるのに、それを見ないというのはとても難しい。

その点、この酒巻さんのような鬼上司が業務外利用を見張っていてくれたほうが、むしろ親切だという気すらします。それくらい「ウェブを使って仕事をしながら脱線しない」というのは困難なのです。

僕は、仕事でウェブをよく使うし、注意してくれる人もいないので、さまざまなツールや工夫で、できるだけウェブを見ないように気をつけています。

まず、無線ＬＡＮを使っている人におすすめしたいのは、左の写真のようにウインドウズの設定で「自動接続する」のチェックを外すことです。

写真36 **自動接続をやめる**

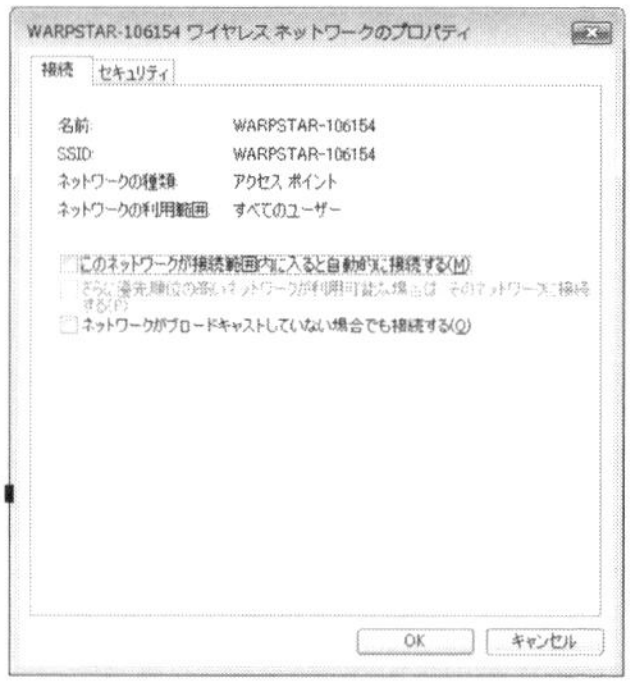

CHECK!
無線LANに自動接続しないようにチェックを外しておく

これで、ウェブを見るときには、手動で接続しなくてはいけない。ウェブを見るのがかなり面倒くさくなります。

「気になったことをすぐググって、検索結果から、遠い世界にサヨウナラ」

という、**常時接続者にありがちな悪癖は、これで大部分は絶つことができます。**

この場合、メールも来なくなってしまいますが、携帯電話でPCメールを受信できるようにしておけば、急な連絡でも安心です。ソフトバンクのシャープ製端末は、Gメールを普通のメールと同じように送受信できる機能があるので、僕はそれを使っています。

さらにGメールは「オフライン」で使えるよう、設定しておきます。

これで、ネットワークにつながっていなくても、メールボックスを確認したり、返信

メールを書いたりできる。オフラインで「送信」したメールは、次にネットワークにつないだときに送信されます。

と、これでたいていの仕事は、オフラインで完結できるようになります。オフラインだと「ウィキペディア」や「ヤフー辞書」は使えないので、オフライン版の辞書を使いましょう。

辞書をインストールして活用する方法は『情報は「整理」しないで捨てなさい』（PHP研究所）に詳しく書いたので、そちらを参照してください。

ウェブを見て息抜きしながら仕事をするより、集中して仕事を終わらせたほうが、残業も減るので、トータルではメリットが大きいのです。

To Do 46

ウェブはタブブラウザを使って「引き算」で見ろ

Results

ネット検索からの「調べもの」にかかる時間を最小限にとどめる

それでも、ウェブに接続しなければならないときはあります。

電車や地図を調べたり、最近のニュースを読む必要がある場合などですね。

では、その目的のページから、読みたいリンクが出てきたり、検索結果をいくつか開きたくなったらどうするか。

図17 ウェブを見るときはタブをいったん開ききってから閉じていく

1. 検索結果からリンクをタブで開いていく

2.見たらどんどん閉じていく

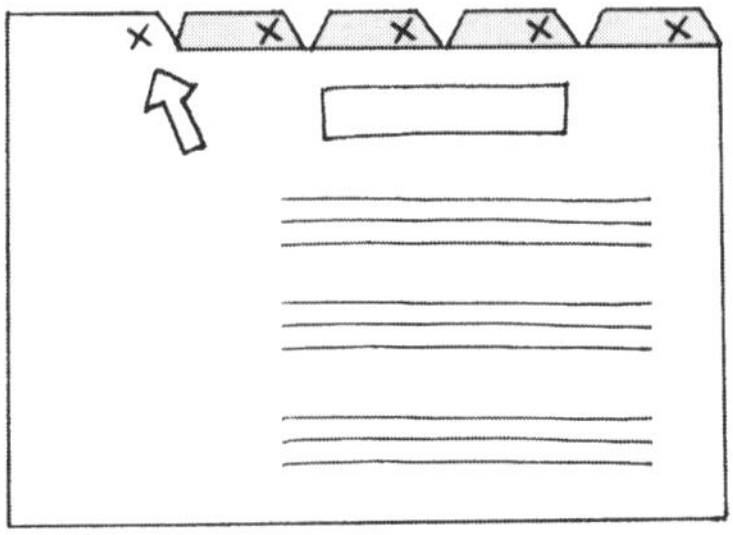

3.最後はブラウザも閉じて「終わり」

こういうときは思い切って、読んでしまいましょう。

というのも、基本的に好奇心を感じるのはいいことだし、抑えつけるのも不健全だと思うからです。「あとで読むためにブックマークしておく」というのも、余計な仕事が増えるようで嫌ですね。

ただ「開き方」は工夫しておいたほうがいいでしょう。

リンクを開くときは、見るページをまず「グーグルクローム」や「ファイヤーフォックス」のようなタブブラウザ（ひとつのウインドウで複数のページを表示できるもの）で、いったんすべて開ききる。「タブで開く」は Ctrl を押しながらクリックです。

その上で、内容に目を通したページは、ひとつひとつ「タブを閉じる」をクリックしてつぶしていく。最後にはブラウザ自体を「閉じる」。

と、こうすれば**終わりがはっきりするので、際限なくページを渡っていくような事態は予防できます。**

たとえば、新発売のデジカメの情報がほしいとき、商品名の検索結果を順番に見ていくと、一時間くらいは簡単に経ってしまいます。

ところが、検索結果からタブを三～五個ほど開き、閉じていけば、一五分くらいで情報収集にケリをつけることができる。

と、理想的には、これでウェブの見すぎは防げるはずですが、ウィキペディアの長い記事などを読んで、ついウェブに没頭してしまうときもあります。

そのときに備えて、僕はパソコンに「ねこタイム」というフリーソフトを入れて、常駐させています。

これは、一日で**ブラウザを起動させた時間を、ずっとカウントし続ける**というソフトです。最初は普通の顔をしているネコが、顔を真っ赤にしたりして、ユーモラスにウェブのやりすぎを警告してくれます。

写真37 フリーソフトの「ねこタイム」でウェブのやりすぎを防止

CHECK!
ネットの見すぎをやんわりたしなめてくれる

http://www.vector.co.jp/soft/winnt/personal/se476627.html

To Do 47

時報チャイムを設定して「セルフ監視体制」をつくろう

Results

集中力が切れてきても「歯止め」がかけられる

先ほど紹介した「自分用タイムカード」やタイマーを使ったりして、時計をこまめに見るようにすれば、だんだん時間感覚は磨かれてきます。

「あ、そろそろ会議が始まって一時間くらいかな」

と思って時計を見たら、どんぴしゃということも珍しくない。自分の中に時間感覚を持てば、ダラダラと出張で使うホテルを探したり、何時間もかけてメールを書いたり消したりするのも予防することができます。

「ああ、もう一時間くらいやってるな」と気づけるからです。

さらに、時間感覚を磨く方法としておすすめしたいのは、時報チャイムを日常生活に取り入れることです。家の中でも会社でも、毎時○分になったら、サインが出るようにしておきます。

と言っても、新しい時計を買う必要はありません。

家にいるときはラジオをつけておけばいいし、最近は携帯電話でも設定できるようになっていることが多いからです。

参考までに僕が「時報」として使っているものを挙げておくと、次のようなものです。

該当する項目を○で囲んで下さい

あなたの職業	01会社員　02経営者　03公務員　04教員・研究者　05コンサルタント　06学生　07主婦　08自営業　99その他（　）
あなたの役職	01会長・社長　02役員　03部長・次長クラス　04課長クラス　05係長・主任クラス　06専門職　07一般社員　99その他（　）
あなたの職種	01経営全般　02企画・調査　03総務　04法務・知的財産・特許　05電算　06経理・財務　07人事・教育・労務　08宣伝・広報　09販売・営業　10商品開発・商品企画　11デザイン・設計　12環境・安全　13製造・生産　14技術・研究開発　15海外業務　16購買・資材　99その他（　）

◆ご関心のあるテーマについてお教えください（複数でもけっこうです）

01経営戦略　02リーダーシップ　03財務会計・管理会計　04マーケティング
05組織・人事　06セールス　07情報技術　08特許・知的所有権
09環境問題　10政治・経済　11小売業・販売戦略　12自己啓発
13株・資産活用　14就職・転職　15資格
16エッセイ・フィクション　99その他（　）

◆本書をお買い上げになった動機をお教えください

01新聞広告で見て　02雑誌広告で見て　03店頭で見て　04人から薦められて
05書評を見て　06小社からの案内を見て　07図書目録を見て
99その他（　）

◆本書についてのご意見、ご感想等ございましたらお教えください

※ご協力ありがとうございました。

郵便はがき

料金受取人払郵便

渋谷支店承認

5691

差出有効期間
平成23年
12月31日まで
※切手を貼らずに
お出しください

150-8790

130

〈受取人〉
東京都渋谷区
神宮前 6-12-17
株式会社ダイヤモンド社
「愛読者係」行

フリガナ		生年月日		男・女
お名前		T S H　年　月　日生		
ご勤務先 学校名		所属または 学部・学年		
ご住所（自宅・勤務先）	〒 ●電話（　　）　●FAX（　　） ●eメール・アドレス （　　）			

◆本書をご購入いただきまして、誠にありがとうございます。

本ハガキで取得させていただきますお客様の個人情報は、以下のガイドラインに基づいて、厳重に取り扱います。

1, お客様より収集させていただいた個人情報は、より良い出版物、製品、サービスをつくるために編集の参考にさせていただきます。
2, お客様より収集させていただいた個人情報は、厳重に管理いたします。
3, お客様より収集させていただいた個人情報は、お客様の承諾を得た範囲を超えて使用いたしません。
4, お客様より収集させていただいた個人情報は、お客様の許可なく当社、当社関連会社以外の第三者に開示することはありません。
5, お客様から収集させていただいた情報を統計化した情報（購読者の平均年齢など）を第三者に開示することがあります。
6, お客様から収集させていただいた個人情報は、当社の新商品・サービス等のご案内に利用させていただきます。
7, メールによる情報、雑誌・書籍・サービスのご案内などは、お客様のご要請があればすみやかに中止いたします。

◆ダイヤモンド社より、弊社および関連会社・広告主からのご案内を送付することがあります。不要の場合は右の□に×をしてください。　不要 □

写真38 時報ソフト「Alarm Reminder」

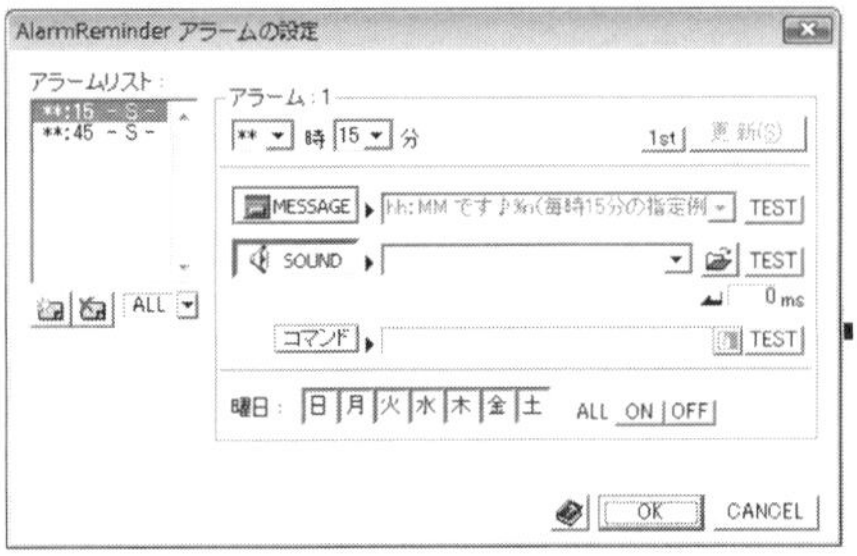

CHECK!
毎時０分だけでなくさまざまな設定ができる

・**目覚まし時計**（シチズンの「グリニッジ」）……自動的に誤差を修正する電波時計。時報モードにすると「ポーン、ただいまの時刻は午前八時ちょうどです」と時間を読み上げてくれる

・**腕時計**（カシオの「LINEAGE」）……電波時計。毎時0分に「ピッ」とかすかに鳴る。外にいると気づかないが、静かにしているときにはわかる

・**携帯電話**（ソフトバンクの「824SH」）……夜九時から朝六時までは鳴らないようにしたり、バイブレーションにしたりと細かい設定が可能

・**パソコン**（フリーソフトの「Alarm Reminder」）……毎時0分以外にも、毎時一五分に時報音を鳴らしたり、プログラム

を自動的に起動できるように設定できる

このようなアイテムやフリーソフトを使えば、簡単に、いつでもどこでも時報が鳴る状況をつくることができます。

たまにうっとうしくなったり、消すのを忘れて来客中に音が鳴ってしまったりするのが問題ですが、長電話したり、ウェブをダラダラ見ているときに「ピコーン」と鳴れば「あ、もう寝なきゃ」とリマインダーとしても機能する。

毎日することを習慣づけたり、生活リズムをつくるのにも役立ちます。

こういうものに頼らなければいけないのは、まるでチャイムが鳴ると急いで教室に戻る小学生のようで「情けないなあ」と思うかもしれません。

写真39 時刻を読み上げる目覚し時計

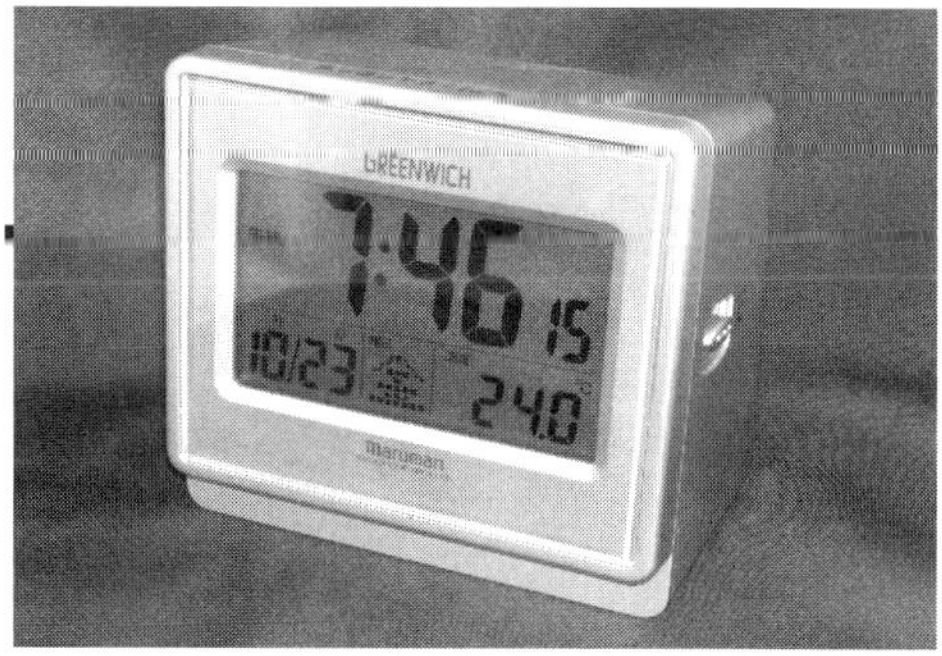

CHECK!
「ただいまの時刻は○時○分です」と声で知らせる時計「グリニッジ」

しかし、大人は小学生より自分を律することもできる半面、誘惑も多い。喫茶店で一服することも、夜中にテレビを見ることもできるので、チャイムのような「強制装置」に頼らなければならない面もあるのです。

時報を生活に入れると、だんだん軍人のように時間に厳しくなってきます。時間が「使途不明」にならないようにと、**意識の持ち方が変わって、自然と緊張感を持って暮らすようになる**のです。

To Do 48

疲れたら「百科事典サーフィン」で気分転換しよう

Results

休憩ついでの頭のストレッチで発想も出やすくなる

気分転換したくなったとき、なんとなくウェブを見始めると戻ってこられなくなります。自分の興味に応じた記事や動画がどんどん出てくるし、検索キーワードなどは連想式に次々と思い浮かぶ。

調べもののつもりでも、どんどん注意が拡散していくわけですね。

でも、ウェブをしないからといって、デスクでマンガを読むわけにもいかない。

と、こんなときのために、パソコンに事典をインストールしておくと便利です。頭が重

たくなってきたときこそ、百科事典を開きましょう。

僕の気分転換は、マイクロソフトの「エンカルタ」で遊ぶことです。

このソフトには3Dの地球儀が入っているので、マウスでくるくる回して、地名から記事を読んだり、統計を見たりします。

ほかにも、休憩ついでに、今進めている仕事に関連しそうな項目を引いて読んだりして、ほかのアプローチを探すこともあります。

たとえば、今ウェブサービスの仕事をすすめているなら「情報」や「コミュニティ」「IT」「インターネット」など、

「そもそも、よく考えてみたらいったい何なのか」

という言葉を引く。

写真40 百科辞典「エンカルタ」のデジタル地球儀

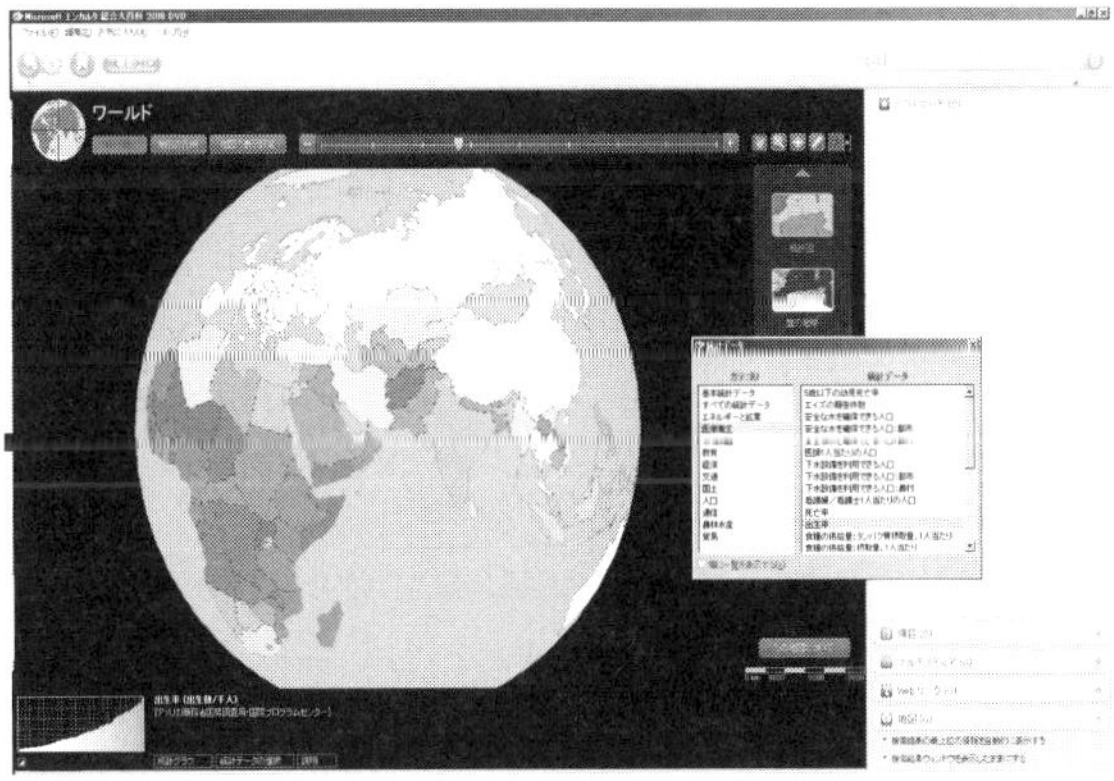

CHECK!
地図を見ると視野が広くなるような気がする

事典なら、ウェブのように際限なくリンクをたどってしまうことはないし、「情報」のような一般名詞を検索しても、とんでもない件数がヒットしてしまうことはありません。辞書に収録されている記事数という**「枠」があるので、安心して脱線できる**のです。

感覚的な言い方ですが、百科事典での検索はウェブ検索と違って、**テーマや問題意識が絞り込まれていく**ようなところがあります。大まかに考えていることが、記事を読むことで輪郭を帯びてくることがあるのです。

僕は、あるテーマで企画をつくらないといけない場合には、いつも百科事典で思いあたる単語をいくつか引いてみることにしています。記事にざっと目を通しているときに、アイデアが思い浮かぶことはよくあります。

企画や書く内容を考える場合ではなくても、名刺交換した人の出身地や業界（製鉄、海運など）、会社名などで調べたりしてみると、会話や提案のネタは増えます。

仕事とウェブに加えて、「事典」という選択肢を持っておくことは、効率よく気分転換してパソコンに向かうための実践的な技です。

To Do 49

眠気に備えてカバンにカフェイン錠剤を入れておこう

Results

「奥の手」を持つことで徹夜明けの会議でも安心

会議や研修は、眠いのが常です。

「八時間は睡眠時間を確保しておこう」「積極的に発言して有意義な会議をしよう」というのは、確かにその通り。でも、いざ眠気が襲ってきたときに、このような言葉には何の効力もありません。

そもそも、発言権を与えられず、座って聞いていなければならないというシチュエーションでは、眠くなって当たり前ではないでしょうか。

僕が体験したひどい会議の中には、何十分も会議資料を読み上げるのをずっと聞いていなければならないというものもありました。これは寝るなというほうが無理です。

僕はすぐ眠くなるタイプなので、眠気覚ましのために「あまり必要ないかも」と思いつつ、議事録のメモをせっせとつくっていました。これで、眠気は起こりにくくはなります。

しかし、眠気が来てしまったときには、もうおしまいです。

フラフラになってから「顔を洗いに行こう」「コーヒーをいれよう」と思っても行動できません。ましてや会議中に「トイレに行ってきます」と言えば、「眠いのか？（怒）」となるし、伸びをすれば、「退屈かい？（怒）」と言われる危険性がある。

眠気対策は「その場で」「手軽に」「気づかれずに」できることでないとダメだと思います。

眠くなってきたときに、カフェイン錠剤をこっそり飲むという方法は、覚えておくと便利です。ドリンクタイプより、カバンやポケットに常備しておくことができる錠剤タイプの方がいいでしょう。

やばいな、眠くなってきたな、と思ったら、ポケットから出してその場で水なしで飲み込む。何時間にもおよぶ会議や徹夜明けの取材など、僕はこれで何度か救われています。

薬だけあって、一〇分くらいしたらてきめんに効いてきます。ただし、副作用もあるので、注意書きにもあるように、常用はしないようにしてください。

写真41 カフェイン錠剤「エスタロンモカ」

CHECK!
いざというときに便利だが、あくまでも切り札として使おう

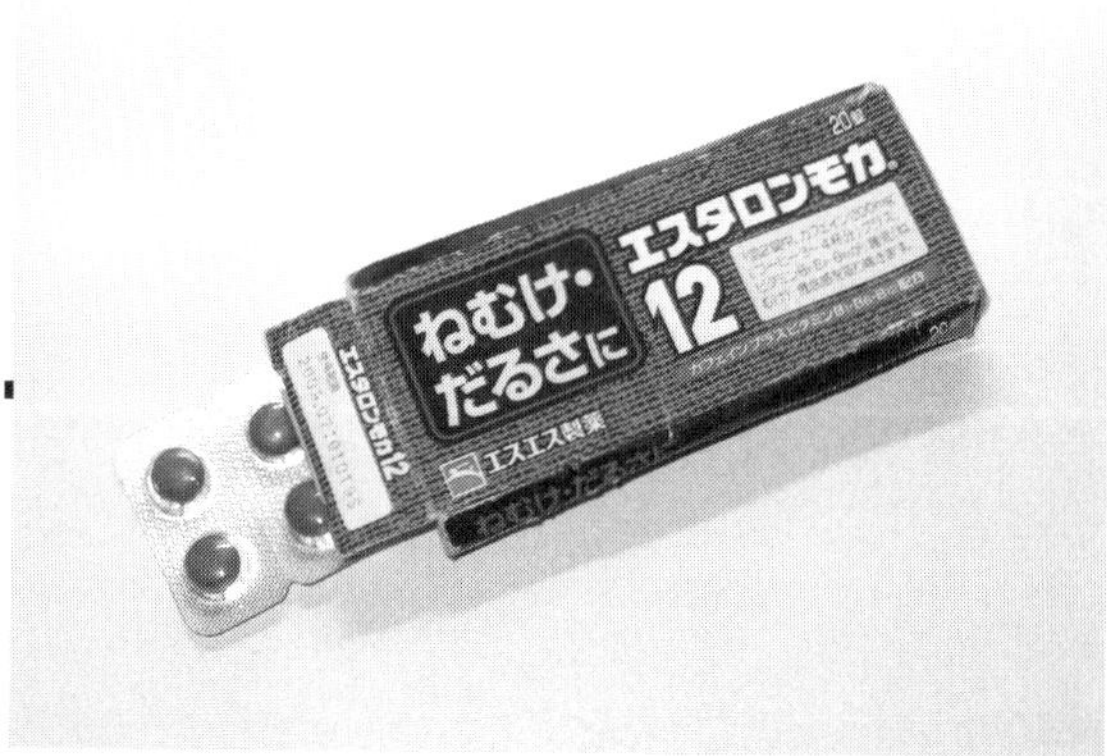

PART

3

創造的な環境をつくる

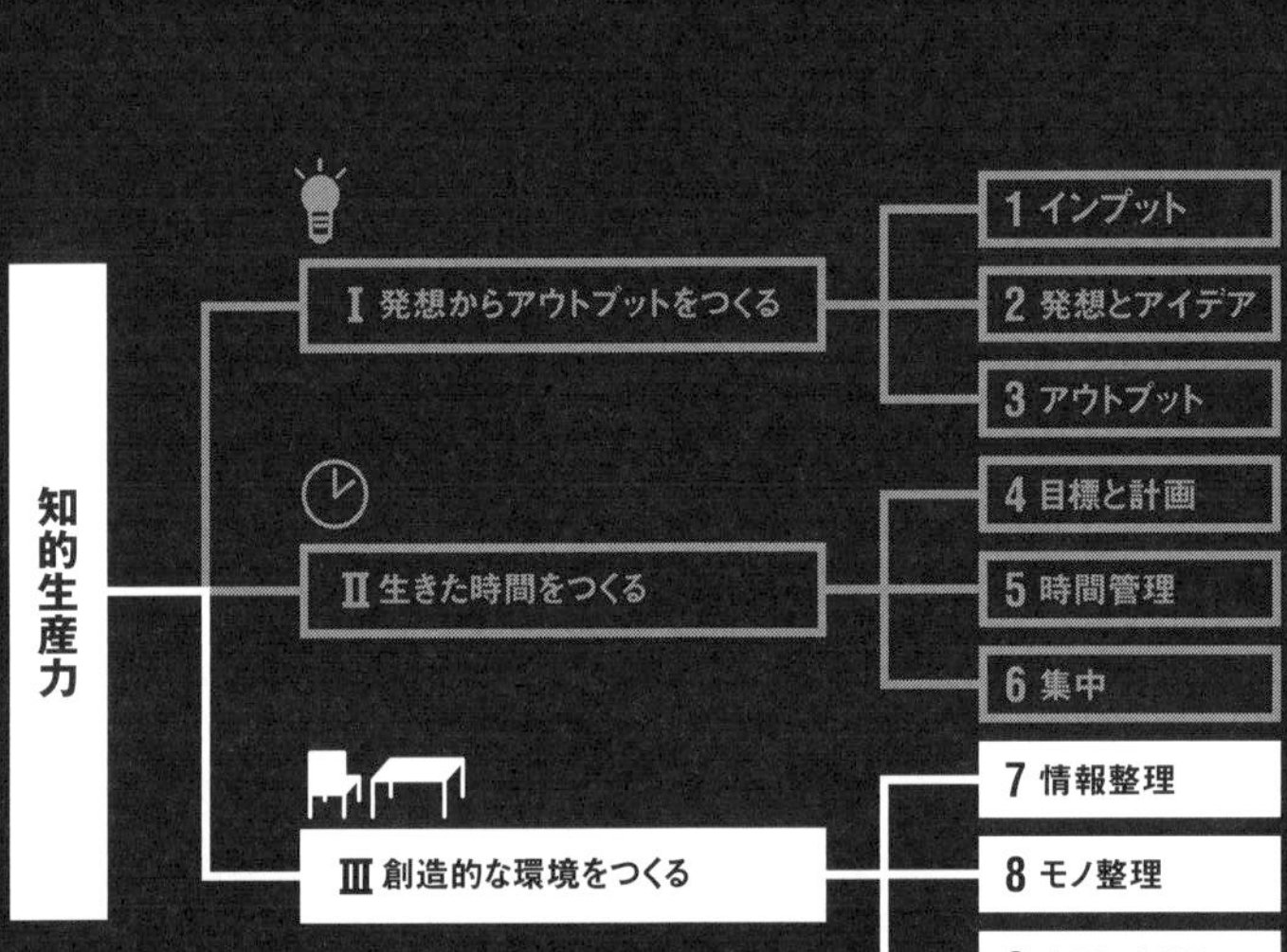

SKILL 7

情報整理

――生産性を意識しながら低コストに管理――

To Do 50

アナログ整理を基本にして、デジタルはサブとして使え

Results

手間がかかるぶん、目的意識がはっきりして情報感度が上がる

情報過多の現代を生産的に生きるには、「無視する力」が不可欠です。

新聞や雑誌、テレビ、ウェブの書き込みなど、情報収集しようと思えばいくらでも見るべきものが出てきます。

それらの情報にいちいちアクセスしていては、時間がいくらあっても足りない。だから、アウトプットにつながるかどうかで情報価値を判断する「目」を鍛えて、余計なものはその場でどんどん捨てていこう。

このようなことを僕は『情報は「整理」しないで捨てなさい』の中で書きました。

では、使える情報をストックするツールは何がいいか。

基本的には、ノートにメモし、資料を貼っていくのがベストだと思っています。

ただ、紙ベースの情報整理の弱点として、デジタルデータのような検索ができないこと

があります。うまく索引をつくればだいたいカバーできますが、それでもデジタルにはかなわない。

それに対して、スマートフォンやモバイル用ノートパソコンを肌身離さず使えば、気になったウェブの書き込みや、考えたことなどを自在に検索して取り出すこともできる。

それでも僕が、「紙ベース」を勧める理由は、**ペンや糊、ハサミを持って手で作業することで、頭の中が整理される**からです。

モニタに映った文字列を、アプリケーションの「メモ帳」にコピー・アンド・ペーストするのと、書類に赤ペンを引いて、ハサミで切り抜いてノートに貼るのとでは、後者のほうがより「自分が何をしているか」という意識がはっきりするのですね。

つまり、

「何に使うために、その部分を切り抜くのか」

「そんなに切り抜く必要があるのか、もっと削れないか」

「こんな手間をかけてまで取っておく価値があるだろうか」

と考えを深めながら作業することになる。

手を動かすことは、考えることです。たとえば、書籍の企画を考えているとき、メモを取ったり、プリントアウトした資料をマーカーでチェックしたりしているうちに、ふと、一見、関係のない二つの情報に共通するものを発見することがよくあります。それが新し

い切り口になることがよくあります。

紙ベースで「ああでもない、こうでもない」と考えて、メモを書いては丸めているうちに、打開策が見つかる。こういう偶然が起きるのも、手作業ならではです。

それに、紙ベースの場合、ストックした情報は、メモや切り抜きといった「現物」としてストックされるので存在を忘れにくい。

ノートやメモを使ったアナログ整理は、完璧でないのが、かえっていいのです。

紙数やスペースに限りがあるせいで、どうしても情報の価値を見積もった上で処理し、自分なりの「落としどころ」を見つけざるを得ない。

その「何が、なぜ重要なのか」という判断自体がアウトプットにつながることも多いのです。

To Do 51

大きなシュレッダーとゴミ箱を用意してどんどん放り込め

Results

どんどん捨てることで大事な情報がすぐ見つかる

低コストでそこそこうまくいく情報整理の基本は、捨てることです。

用が済んだ書類はさっさと捨ててしまえば、ファイリングしたりスキャンしたりする手間はかかりません。

しかし「捨てられない書類がたくさんある」という人も多いでしょう。

では、捨てられない書類以外の書類は、ちゃんと捨てていますか。おそらく、そうではなく、

「なんとなく大事そうだからファイルしよう」

「いつか誰かの役に立ちそうだから取っておこう」

「重要な会議の資料だから取っておくか」

こんな判断で書類やメモを溜め込んでいるはずです。

それをやめて**「自分にとって本当に必要なもの以外は捨てる」**ということを試してみてください。

たとえば会議で資料が一〇枚配布されたなら、そのまま封筒に入れて引き出しにしまいたいところを、ぐっとこらえて、「三枚にできないか」「会議中のメモだけで十分ではないか」と考えるわけです。

つまり、**「得た情報の中で、一番使えるのはどこか」をはっきりさせる**。

三枚に絞れば、一〇の力で一〇枚の書類を処理する場合と比べて、同じ労力で一枚につき約三倍の力をかけることができます。

書類を読み込む時点で、あらかじめ自分の中で重要度のランキングをつくっておくと、自分の意見も簡単にまとめ上げることができます。上位から順番にコメントしていくこと

で、「要するに何が言いたいのか」が明確になります。

しかし、どんどん捨てるとは言っても、紙の束はかさばる。**捨てるための「装置」が必要**です。

大きなゴミ箱とシュレッダーですね。

コピー用紙は縦に裂けやすいので、破ってから入れるとかさを減らしてより捨てやすくなります。丸めないと入らないような小さなゴミ箱は、捨てる効率が悪いので取り替えたほうがいいでしょう。

少しでも個人情報が含まれているものは、どんどんシュレッダーで処分します。個人でも、シュレッダーは一〇枚以上裁断できる大きめのモデルを買っておくのがおすすめです。

僕は、シュレッダーの利点とは、情報漏洩を防ぐことより、情報ゴミをその場で丸めたティッシュのような、純然たるゴミに変えてくれることだと思っています。

自分の住所や電話番号を書いたDMや封筒は、一週間も溜めると処理できない量になってしまうけれど、届いたそばから電動シュレッダーでタダのゴミにしておけば、溜まることはありません。

書類も同じで、**不要なものは即座にゴミ化して、「捨てるか使うか」の迷いに決着をつけておく**。

図18 大きいゴミ箱を使えば書類が溜まらない

すぐいっぱいになる小さなゴミ箱

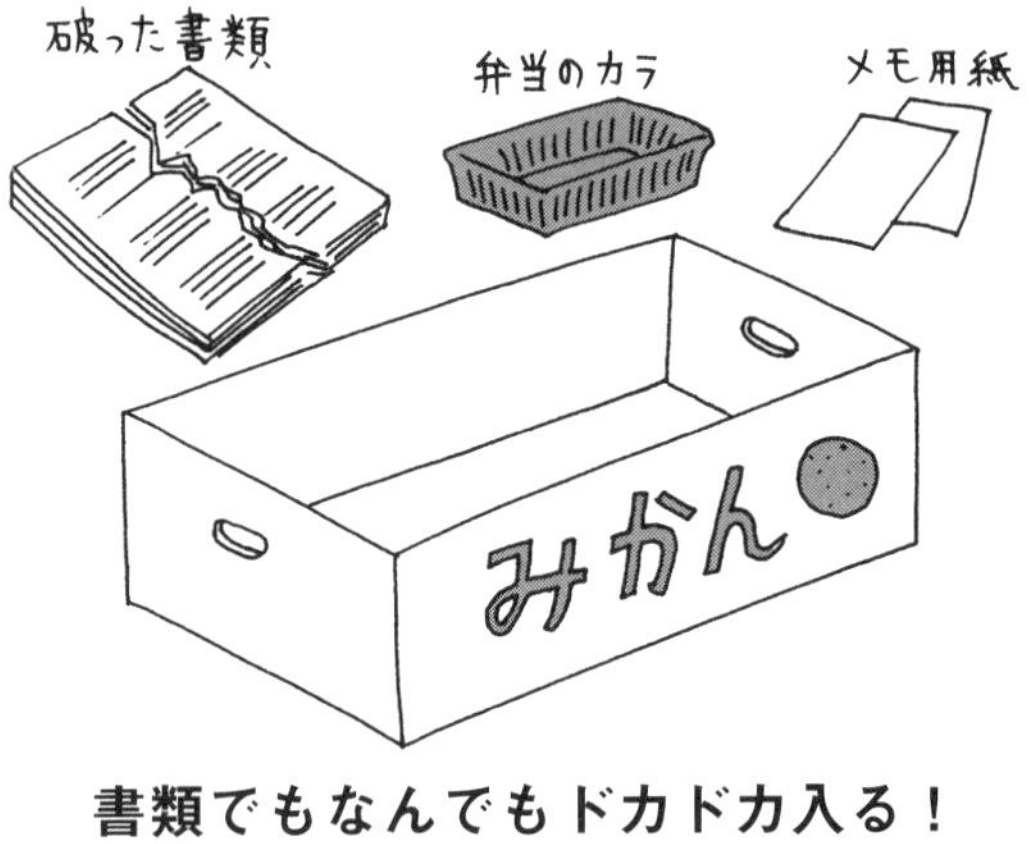

書類でもなんでもドカドカ入る！

これで、本当に重要な書類だけを読み込んで、自分の考えをつくることに力が割けます。

To Do 52

メモはとりあえず書いてあとで取捨選択しよう

Results

「メモ化」してさばくことで相対的な情報価値がわかる

新聞記者やインタビュアーは、話を聞きながら、

「このキーワードは見出しで使えるぞ」

「いいセリフだから、冒頭に持ってきて、読者の注意を引くのに使おう」

「この話はもうほかのインタビューでも言ってることだから流すか」

といった判断をして、それに応じたメモの取り方をしています。

このような情報のプロは、本を読んでいても「ここを引用すると盛り上がるぞ」という勘所がすぐにわかる。要するに、**発言や文章といった情報にその場で値段をつけることができる「目利き」**なのです。

この技術には慣れだけでなく予備知識が必要です。どんなに有能で物知りな書き手であれ、予備知識がない世界、たとえば、普段、自動車業界の記事を書いているライターが福祉について有識者の意見を聞いても、

「この説はオリジナリティがあってすばらしい！」

と思うことはできません。

「目利き」になるには、能力と知識の両方が要ります。

では、そのどちらかが欠けていて「どこがすごいのかよくわからない」ということになった場合、どうメモしておけばいいのでしょうか。

とりあえず、**すべてのトピックを時系列に箇条書きしておく**ことです。

たとえば、会議ならば、

・年初のあいさつ「攻撃的に行こう」（社長）
・モチベーションの低下はリーダーの責任（専務）
・毎月の全体会議とチーム研修の開始（営業部長）
・四半期ごとに予定表を提出してはどうか（主任）↓反対意見「それより行動」（係長）

と、このように、あまりパッとしない議論でも、編集せず

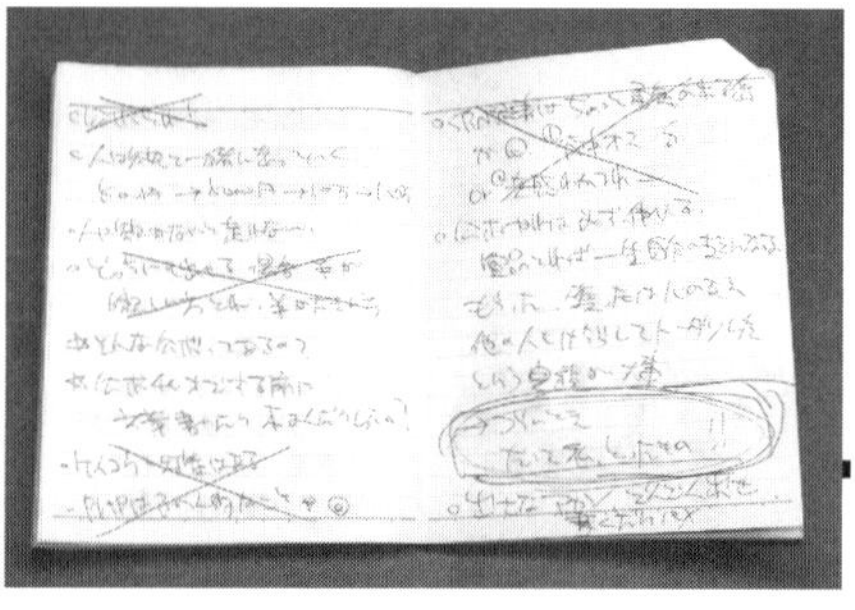

写真42
とりあえず書いてから捨てる

CHECK！
メモを作ったらすぐに赤ペンでチェック

にログを取っておくわけです。

で、終わってから、赤ペンを持って、「重要な発言」「やるべきこと」「付け加えたい意見」などをマークして、余分なメモを消していく。

こうすれば、なにもピンと来る発言や意見がなくても、ずらりと並んだ箇条書きの中での**相対評価で、光る箇所をあぶり出すことができます**。

自分の知識と感性では、どこが使えるのかわからなくても、メモをつくって作業していくと、比較的とんがった発言を浮き上がらせることができるのです。

To Do 53

読書以外でも、情報を受けたときは「ねぎま式メモ」を作れ

Results

受けた情報を利用して「自分の意見」を引き出せる

僕は『読書は1冊のノートにまとめなさい』の中で、「ねぎま式メモ」というメモの取り方を紹介しました。肉とネギが交互に刺さった焼き鳥の「ねぎま焼き」のように、引用と自分の感想・考えを交互にメモしておくことで記憶を定着させ、自分の考えを深めることができます。

読書メモの取り方として紹介したものの、実は、これはインタビューをしながら思いついた方法なのです。

人の話を真剣に聞いているときは、疑問や発言へのカウンターとしての自分の考えがどんどん浮かんでくることがあります。

でも、そこでいちいち話を止めて自分の意見を言ったり、質問で話を脱線させては、時間が足りない。そこで「○」で相手の言ったことをメモするほか、「☆」マークで、他人由来の情報と自分由来の疑問や発想を区別しながら書いておく。結果として、余った時間の範囲で質問したり、あとで取材原稿をつくりやすくなるわけです。

ここで、客観と主観を分けておくことには大きな意味があります。

「☆」に書いてあることは、質問や感想のネタになるし、その他の「○」に書いたことは、発言として引用したり、概要説明に使えます。

この方法を使うと、**受動的になりがちなセミナーやテレビでも、自分のアウトプットに生かせる**。つまり「歩留まり率」が飛躍的にアップするのです。

セミナーや講演、プレゼンテーションなどでは、メモを取ると同時に、その場で考えたこともメモしておくべきです。あとで質疑応答が行われたり、一対一で会話するチャンスができたりした場合、相手にぶつけてみることもできるからです。

たとえば、証券会社で投資セミナーを受けているとき、

○国債はものすごくお買い得。機関投資家も買いたいはず

☆国の借金はふくらみつづけそうなのに、なぜ安泰なの？

○定期預金は店頭ものよりネットものがいい。チェックすべき

☆うちのメインバンクもそういうのあるかな、ネット銀行は窓口対応がないのが心配だが、実際のところどうなんだろう。使っている友達に聞いてみよう

とメモの中で「対談」しておくわけですね。

この「☆」だけを集めれば、主観のみになるし、「○」を集めれば客観のみのアウトプットになります。つまり、主観重視の意見書なら「☆」、客観重視の報告書やレポートなら「○」を軸に文章化すればいいことになります。

質疑のときに、「☆」マークを付けてメモしておいた疑問

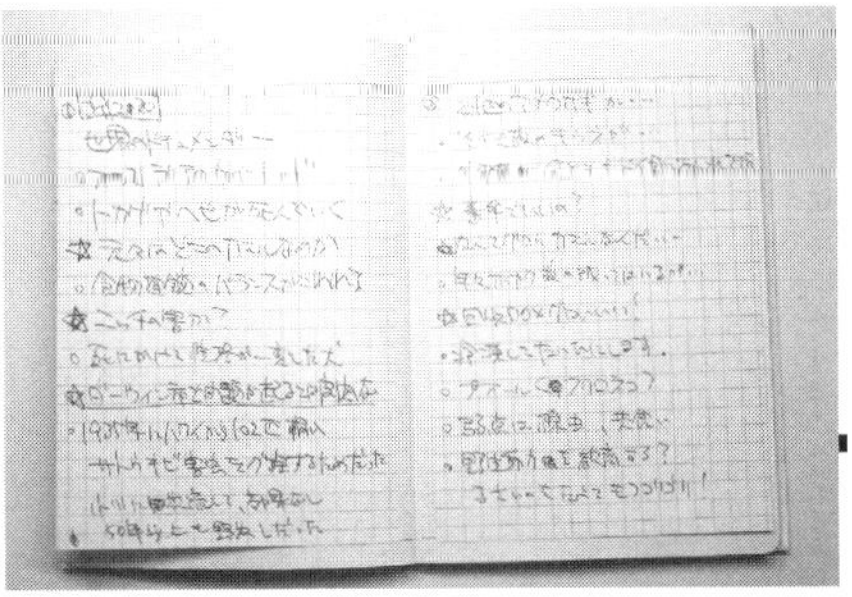

写真43

なんでも「ねぎま式メモ」にまとめる

CHECK！

「ねぎま式メモ」は客観情報から「主観」を引き出すためのテクニック

を講師に聞いてみる。または発想を読み返して、ブログにまとめる。さらに、疑問を解決するために家に帰ってからネットや本で調べたり、ウェブで本を探す。

このように、**ひとつのメモが、ワンランク上のインプット・アウトプットへのきっかけとなります**。

セミナーのような受動的な情報受信でも、「ねぎま式メモ」で自分の主観を引き出しながら書けば、対話するように**能動的な行為になる**。書いたことがアウトプットの呼び水になるのです。

To Do 54

コピー用紙でつくる「蛇腹メモ帳」をポケットに入れておけ

Results

いつでもどこでも書けることでメモの習慣がつく

メモの癖をつけたい場合、意外と難しいのが、紙とペンを持ち歩くことです。

僕の場合、仕事で記者をしていた都合上、どうしてもメモは必要なので、自然に持ち歩いてメモするようになりました。

しかし、いつまで経っても「メモ帳をつい忘れる」という人は多いでしょう。

メモを持ち歩く癖をつけるには、どうするか。

このような悩みに対して、僕はコピー用紙でつくる「蛇腹メモ帳」をポケットに入れて

おくことを勧めています。

つくり方（というほど大げさなものではないですが）はとても簡単。A４のコピー用紙（裏紙でOK）を、一枚用意します。これを、

①何も書いていない面が外側になるよう、縦半分に折る

②縦長の紙を屏風のようにジグザグになるよう二回折る

これでA７サイズで８ページのメモ用紙ができました。かさばらないので、ワイシャツの胸ポケットにぴったり。カバンを持たずに散歩するときでも便利ですね。

もし、この紙にメモを書いた場合、帰宅してから、手帳やノートに貼っておきます。折りたたんだ状態のまま、ハサミで二辺を切り落とせば、八枚の紙片になるので、そのまま貼ることができます。

もちろんA４に戻して、スキャナにかけることもできますが、重要なメモは、下手にスキャンしたりファイリングするより、ノートやコルクボードの壁（２４１ページ参照）に貼り付けておいたほうが存在がアピールされるので、なくしません。

メモをつける癖をつけるためには、高いノートより、このような気軽に使えるものから入っていくほうがおすすめです。

図19 蛇腹メモ帳のつくり方

1. ウラ紙を縦に２つ折りする

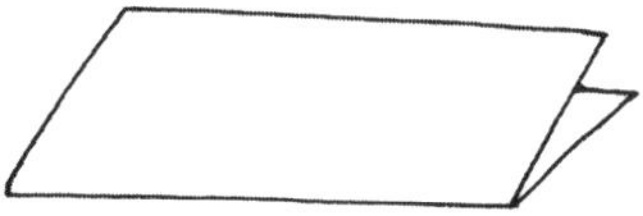

2. ジグザグに折る

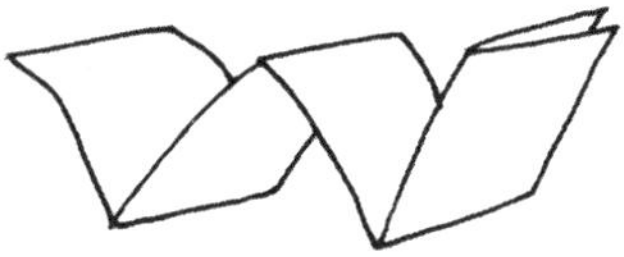

3. 胸ポケットにも入るA7サイズ8ページ(表裏)のメモ帳として使う

写真44

コピー用紙で作った蛇腹メモ帳

CHECK!

A7 サイズなのでワイシャツのポケットにも入る

メモ用紙を持っていてよかった、役に立ったという経験が増えれば、自動的に、持ち物の中での優先順位は上がります。

そのうち「ケータイは忘れたけれど、メモ帳は持っている」というくらいになって、「紙ベース」の情報整理の基礎が身につきます。

To Do 55

ノートに対応するメモは「モジュール化」しておこう

Results

メモが貼りやすくなることで一冊管理がしやすくなる

ノートはいつでも取り出して書けるようにしておく。

そうは言っても、歩いているときや電車が混んでいてカバンを開けられない場合など、取り出せないケースはよくありますね。

そんなときには、前述した「蛇腹メモ」のような小さなメモ帳に書き、デスクに戻った時点で、重要なメモはノートに貼り付けておく。

ここまでは多くの人がやっていることですが、さらに一工夫して、メモのサイズをノートに貼りやすい大きさにしておくと、より活用度がアップします。

たとえば、僕の家には、B5のコピー用紙を裁断してつくったB7サイズのメモ帳が、枕元や食卓、テレビの前など、あちこちに置いてあります。

布団に入って急に何か思いついたときには、ノートを取りに行くのが面倒なので、このメモ帳に書いておきます。

翌朝、A6ノートに貼り付けるとき、B7のメリットが出てきます。A6より一回り小さいので、ハサミで切らなくても「余白」が少なく、そのまま貼り付けられるのです。

このように、**貼る場合のサイズの関係を把握して、ノートやメモを使う**ことを、僕は「メモのモジュール化」と呼んでいます。

一覧にしておくと、次のようになります。

- B5を四つ切りにしたB7サイズのメモは、A6より一回り小さいので、A6やA5のノートに貼り付けるのに便利
- 「ロディア」のNo.11は、A6ノートに二枚、A5ノートにちょうど四枚を1ページに貼り付けることができる
- 写真のサービス版はB7とほぼ同じ大きさなので、A6・A5ノートに貼って整理できる
- A4の資料は二つ折りにすると、切らずにB5のノートに貼ることができる
- B5の資料は二つ折りにすると、切らずにA5のノートに貼れる

つまり、B版のメモ用紙を使うなら、ノートはA版。A版のメモ用紙を使うならノートはB版を使う。こうすると貼り付けるのが簡単です。ノート以外に書いた情報もスピーディーにノートに一元化でき、急に思いついたアイデアを忘れず捕まえ、書いたメモもなくさないという、万全な体制ができます。

To Do 56

上書きより、日付・作業場所から「名前を付けて保存」

Results

すきま時間の作業でも最新ファイルがわかる

パソコンで、何日かかけて作業していく場合は、「上書き保存」するより、「名前を付けて保存」しておくのがおすすめです。

どんどん別の名前を付け、別ファイルとして保存しておくわけです。

実は、僕はこの本の原稿のほか、以前の著作も、講演用の資料、企画書もすべてこの方法で管理しています。つまりフォルダの中には、

100412ダイヤモンド仕事術
100413ダイヤモンド仕事術
100414ダイヤモンド仕事術

と、日付ラベルの違うファイルが何十個もあるわけです。

この方法のいいところは、**いくらでもファイルを過去の状態に戻すことができる**点です。

ワードやエクセルには「元に戻す」というコマンドがありますが、戻せるのはせいぜい数回分の操作にすぎません。しかし、この方法なら、三日前や一月前の状態に簡単に戻すことができる。

たとえば今日、「100110ダイヤモンド」というファイルを開き、項目を丸ごと消したりして大幅に文字数を減らしたとします。ここで「上書き保存」してしまうと、消した部分はなくなってしまうわけですが、「100111ダイヤモンド」と別の名前を付けて保存しておけば、消した部分がもう一度見たくなっても、完璧に以前の状態に戻せる。

これで、

「本ではボツにしたネタだけど、今度の講演で使ってみよう」

と、ボツネタの再利用ができるのです。

また同じ日に、何度もファイルを更新したり、ノートパソコンを持ち出して外出先で作業することが多い場合は、

写真45 ファイルは「名前を付けて保存」

CHECK!
日付と作業場所を名前に入れておけばファイルの先祖返りが起きない

１００４１２ダイヤモンド資料@自宅
１００４１２ダイヤモンド資料@大阪駅カフェM
１００４１２ダイヤモンド資料@大阪駅レストランS

と、作業した場所や店の名前もファイル名に入れておくと、どのファイルが最新なのか、最終更新日時を見て比較しなくてもすぐにわかります。

　ファイルを「更新日時順」でソートしたりすれば、これらの工夫はどうしても必要というわけではありません。

　しかし、こまめに名前を付け直すことによって、仮に、外出先で作業するときにも、

「今から作業するのは、昨日、家でつくっ

た『@自宅』のファイル。加筆したらファイルの名前を『@カフェM』にしておく。これが済んで帰宅したら、自宅のデスクトップPCには、この『@カフェM』をコピーしておけばいいんだな」

とファイルの変更履歴を場所と結びつけて頭の中で整理できるので、「先祖返り」を防ぎ、よりスムーズに目的のファイルを見つけ出せるようになります。

To Do 57

PC上に「ワンクリックのメモ態勢」をつくっておけ

Results

アイデアの取りこぼしがなくなって活用度がアップする

ペンとメモ帳は、上着やカバンのポケットなど、アクセスのいい場所に入れておき、いつでもすぐに書けるようにしておく。

もちろんメモ帳でなくケータイでもコピー用紙でもいいわけですが、とにかく「メモ、メモ……」と探し回ることなく、さっと取り出せるようにしておく。これは鉄則です。

では、パソコンに向かっているときはどうでしょう。

三秒以内に、キーボードでメモが取れるでしょうか？

この準備態勢をつくっておくのは簡単です。

まずタスクバーに「クイック起動」を追加し、「メモ帳」のショートカットを入れてお

く。これでパソコン作業中のメモの立ち上げは格段に早くなります。瞬時のアイデアを逃すことはありません。

ところが「メモ帳」には致命的な欠陥があります。自動保存の機能がないので書いた後、「閉じる」をクリックすると「保存しますか?」というポップアップが出て、「はい」をクリックした後、ファイル名を入力しなければならない。うっかりしているとつい保存せずに終了してしまうのです。

と、このような事故を防ぎ、しかも、瞬時にメモを取って確実に保存するためはどうすればいいか。

やはり、高機能なテキストエディタを使うことを勧めます。

「オズエディタ2」の場合は、たとえば「クイック起動」に入れたアイコンをクリックすると、新規作成の画面が開く。と、ここまではメモ帳と一緒ですが、何かを入力すると**一〇秒後に文頭一〇文字程度をファイル名にして、自動的にハードディスク直下に保存**される。

このような設定ができます。

僕は、外で使うノートパソコンの場合、自動保存の場所を「デスクトップ」にしておき、二、三個テキストデータが溜まったら、自宅のパソコンに移し替えています。

用途は、急に思いついたことや頭の中で組み上がった短い文章やそのネタを、書き付け

ておくときです。

これまでの著作でも説明しましたが、僕は、ノートとペンを常に持っているので、パソコンで仕事をしていて、急に「あ、帰りに納豆を買っておかなきゃ」と思ったら、ノートに「納豆BUY」と書くだけです。

しかし、パソコンでの作業中に、「あの人にこういうプランを話してみよう」といろいろなことを考えたときは、ペンで長い文章を書くより、キーボードで書いたほうが早い。だから、テキストデータにメモしておく。このように使い分けています。

つくったテキストデータは、プリントしてノートに貼っておくか、メールの本文欄に貼り付けて自分のメールアドレスに送っておきます。

僕はGメールを使っているので、キーワード検索すれば、いつでも呼び出すことができます。

「オズエディタ2」以外でも、この「ワンクリックで新規作成画面を開き、文頭をファイル名にして自動保存にする」という設定はできるでしょう。あなたが使っているテキストエディタの設定メニューを探してみてください。

手書きのメモと、この「ワンクリックのテキストメモ」が使いこなせるようになれば、「何かいいことを思いついたんだが、思い出せない」と、瞬間的なアイデアを取りこぼしてしまうケースはまずなくなります。

To Do 58

ケータイ用アドレスからメールを出すのはやめよう

Results

Gメールに一本化することですべてのメールを一元管理

メールアドレスをひとつだけ使う。

とてもシンプルな方法ですが、この方法は劇的にメールや情報整理の手間を減らしてくれます。

僕は、メールアドレスはGメールのアドレスひとつしか使っていません。携帯電話のアドレスは一応持ってはいるものの、送信でも受信でも使っていない。携帯電話でも必ずGメールを使っています。

つまり、メモや資料を一冊のノートにまとめておくのと同じように、Gメールの受信ボックスを「何でも放り込む箱」として使っているわけですね。

通販サイトのお知らせやメルマガからプライベートのメール、仕事のメール、携帯電話からのメールまで、一緒くたにするのは、はじめは不安でした。

しかし、試してみると、予想以上に大きな収穫があることがわかりました。

まず、検索すれば、探している情報が必ず見つかることです。

携帯電話のメールは五〇〇件くらいしかボックスに溜められないけれど、Gメールなら容量が許す限りいくらでもＯＫです。

つまり、僕のGメールには、僕が何年間か、家のデスクトップパソコンやネットカフェのパソコン、スマートフォン、携帯電話など、いろいろな端末で送受信したすべてのメールが入っていることになります。もし、メールを検索してヒットしないなら、はじめからそんなメールはないということになるのです。

送受信メールそのものが仕事やプライベートのログであり、データベースでもあります。

住所や電話番号を調べたり、名前の漢字を調べたりする場合にはキーワードで呼び出せばいいので、電話帳をつくる必要もありません。

普通の携帯電話でも、Gメールのサイトにはアクセスできるので、たとえば旅行先で、土産物を宅急便で送るために友達の住所が必要になったときでも名前で検索すれば、簡単に呼び出すことができる。

Gメールをモバイルで使うためにはiPhoneやノートパソコンが必要だと思い込んでいる人が多いようですが、普通の携帯電話でも「PCメール機能」をフル活用すればここまでのことができます。パソコンとケーブルでつないで同期する必要はありません。

Gメール一本化のもうひとつのメリットは、**携帯メールの返信が、自宅のパソコンから済ませられる**ことです。

僕の場合、受信メールは、携帯電話とGメールのアカウントに同じものが届いていま

図20 メールはGメールに一本化する

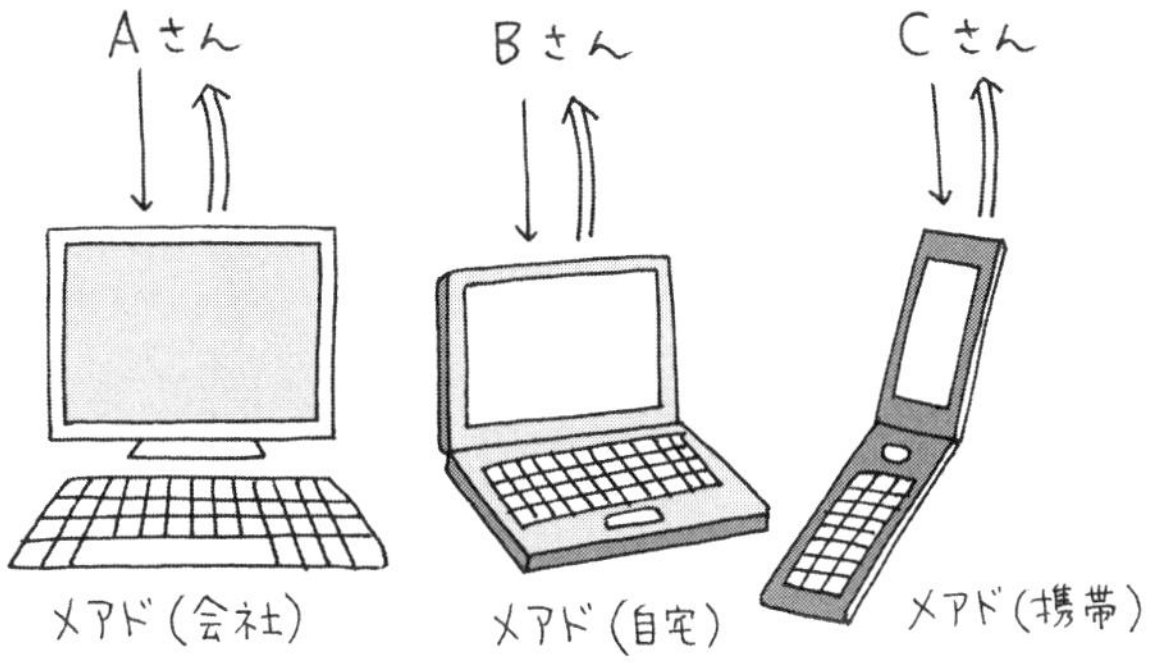

チェック&返信に手間がかかる

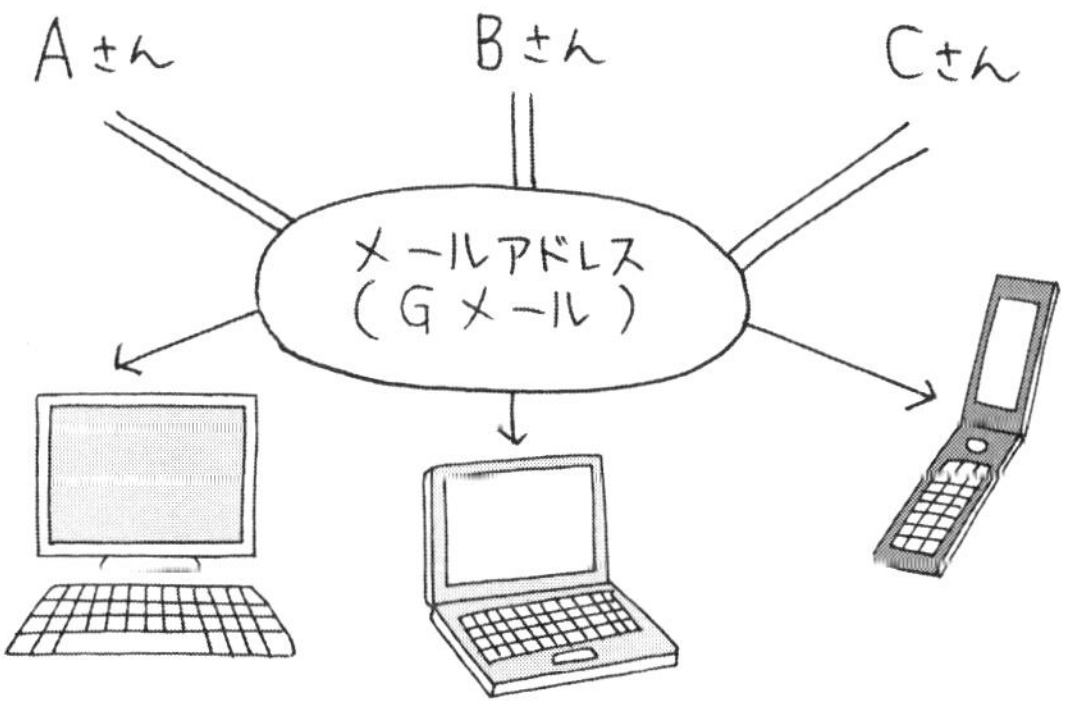

Gメールが操作できる端末(PC、ケータイ)から一括返信できる

す。パソコンから返信すれば、携帯電話のテンキーをチマチマ押さなくても、スピーディーにメールのやりとりができます。たまにパソコンからのメールを拒否する設定をしている人がいるのには困りますけど。

メールアドレスの使い分けは、バックアップしたり転送したりといった手間ばかりかかるので、ほとんどメリットがありません。思い切って一本化したほうがメールを探す手間が省けます。

SKILL 8

モノ整理

――モノの増殖をコントロールする――

To Do 59

自宅でこそモノクロのレーザープリンタを活用しよう

Results

コピーやスキャンを日常的に活用して生産性アップ

プリンタは知的生産の強力な武器です。

パソコンに保存しただけだと忘れてしまうようなものであっても、プリントしてピンで留めておいたり、カバンに入れておけば、どこかのタイミングで気がつきます。**紙として持っていることが、リマインダーになる**わけです。

ところが、一般的にはあまりプリンタは活用されていません。

ちょっと前の話ですが、新聞で「家の中でほこりをかぶっている機械は?」というアンケートをやっていました。栄えある(?)第一位はというと、プリンタです。年末に年賀状を作るため引っ張り出される以外、置物になっている家庭が多いとのことでした。

プリンタを毎日のように使う僕にとって、この結果は意外なものでした。

こんなに便利なものがなぜ普及しないのか、と考えてみれば、おそらく「中途半端なプ

リンタを買っているから」ということになるでしょう。

プリンタに限っては、安物はダメです。

まず、**コピーとスキャナの機能が付いた複合機**を選びましょう。

スキャナがない単機能プリンタは、省スペースですが、パソコンからの出力しかできないのが難です。当たり前ですが、書類をスキャンしてPDFデータ化したり、ガイドブックや地図、免許証のコピーを取ったり、という使い方ができない。

普通の人は、あまり家で書類をつくることはないので、出力する機会はほとんどありません。だから、年賀状にしか使われなくなる。

ところが、コピー機が家にあれば、本の一部をコピーして持ち歩いたり、書類のコピーを取ってからコメントを書き込んだりと、いろいろと活用法が思いつく。**機能があるから活用できるようになる**わけで、決して逆ではありません。

もうひとつの条件は、モノクロのレーザープリンタを買うことです。

インクジェットは、見た目もきれいで価格も安い半面、レーザーより、

・印刷速度が遅い
・インクの消費が早い
・トラブルが多い

写真46 モノクロレーザー複合機

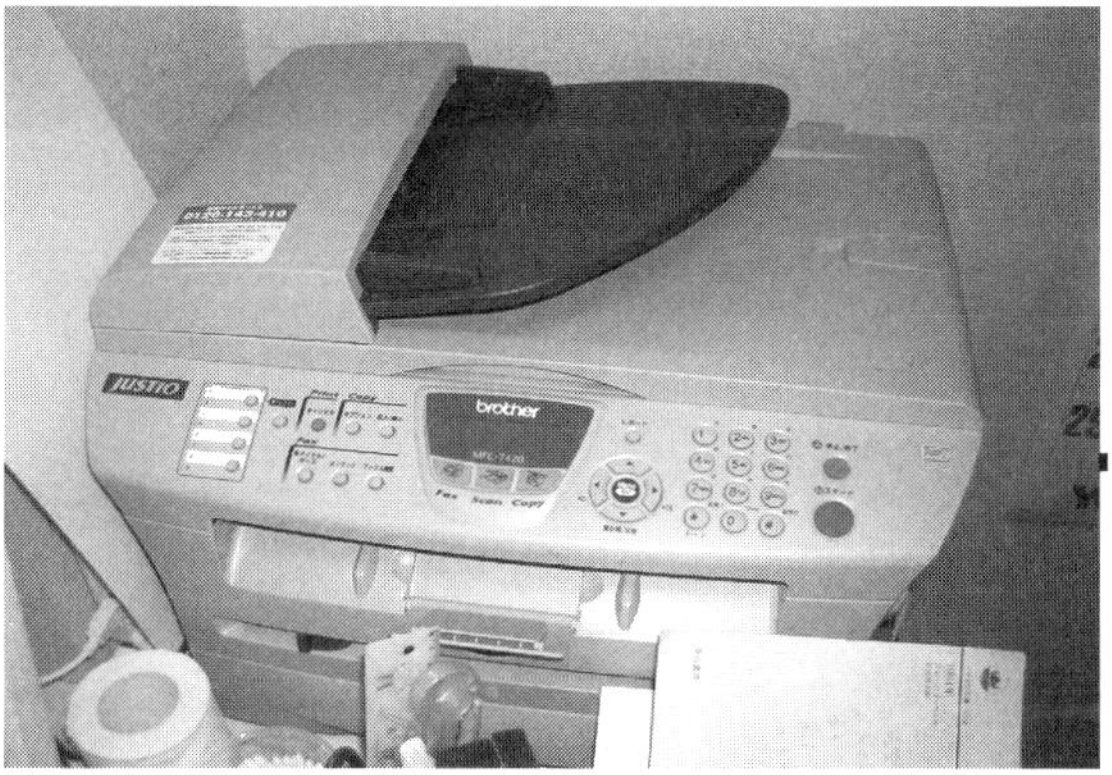

CHECK!
コピーやスキャンができるレーザープリンタは知的生産の強い味方

といった問題があります。

レーザープリンタでウェブや書類のプリントをし、写真をプリントするときはオンライン注文かコンビニのプリンタを使う。このように使い分けるのが一番いいでしょう。

たとえばブログを書く場合でも、フォームに直接書くのではなく、先にテキストエディタで書いたものをプリントアウトし、赤ペンでチェックしたほうが間違いが少なくて、伝わりやすい文章が書けるようになります。

To Do 60

デスクまわりの壁に「巨大コルクボード」を取り付けろ

Results

狭い部屋でも壁面を使って快適なワークスペースを持てる

『リンボウ先生の書斎のある暮らし』（林望／光文社）によると、林さんの仕事場は、すべての壁にあらかじめベニヤ板を貼っているそうです。だから、壁全体がコルクボードになる。これはうらやましいなあと思いました。

パソコンを使って仕事をしていると、どうしても机の上は狭くなりますが、壁面に書類や手紙、領収書を一時的にピンで刺しておいたり、輪ゴムや切手など、よく使うものを留めておければ、引き出しを探さなくてもパッと見渡してすぐに取り出せます。

僕は、家を改造するほどの覚悟はないので、ホームセンターでそろう材料で壁面をコルクボード化してみました。

安価で誰でも簡単につくることができる割に、とても便利だったので、紹介しておきます。

■材料

①発泡スチロールの板（厚さ一センチ）
②押しピン（針の長さ一センチ）

③押しピン（針の長さ二センチ以上）
④ガムテープ

まず、発泡スチロール板の表面にガムテープを貼ります。

これは押しピンが抜けにくくするための措置。ガムテープの上からピンと刺すと、掲示物が風でなびくくらいではびくともしなくなります。ピンを刺せる面積さえあればいいので、発泡スチロールが見えなくなるほど貼る必要はありません。見た目が気になる人は、糊で画用紙を貼る手もあります。

貼り終わったら、長い押しピンを発泡スチロール板の四隅に差し、壁に固定する。

これで完成です。

掲示物や小物は、ガムテープに刺さるようにピンで留めます。針の長さは板の厚みと同じ一センチなので、奥まで刺しても壁は無傷のまま。しっかり固定したい場合はピンを二、三個刺しておけば、窓から風が吹き込んでも大丈夫です。

紙はもちろん、文具や携帯音楽プレイヤーなどの小物まで吊っておくことができます。

送り終わったFAXやあとで返事を出す手紙、行くかどうか決めていないパーティーの招待状、展示会の告知ビラなど、**片付かないものはとりあえず貼っておく**と、スッキリします。

写真47 コルクボードを使ったワークスペース

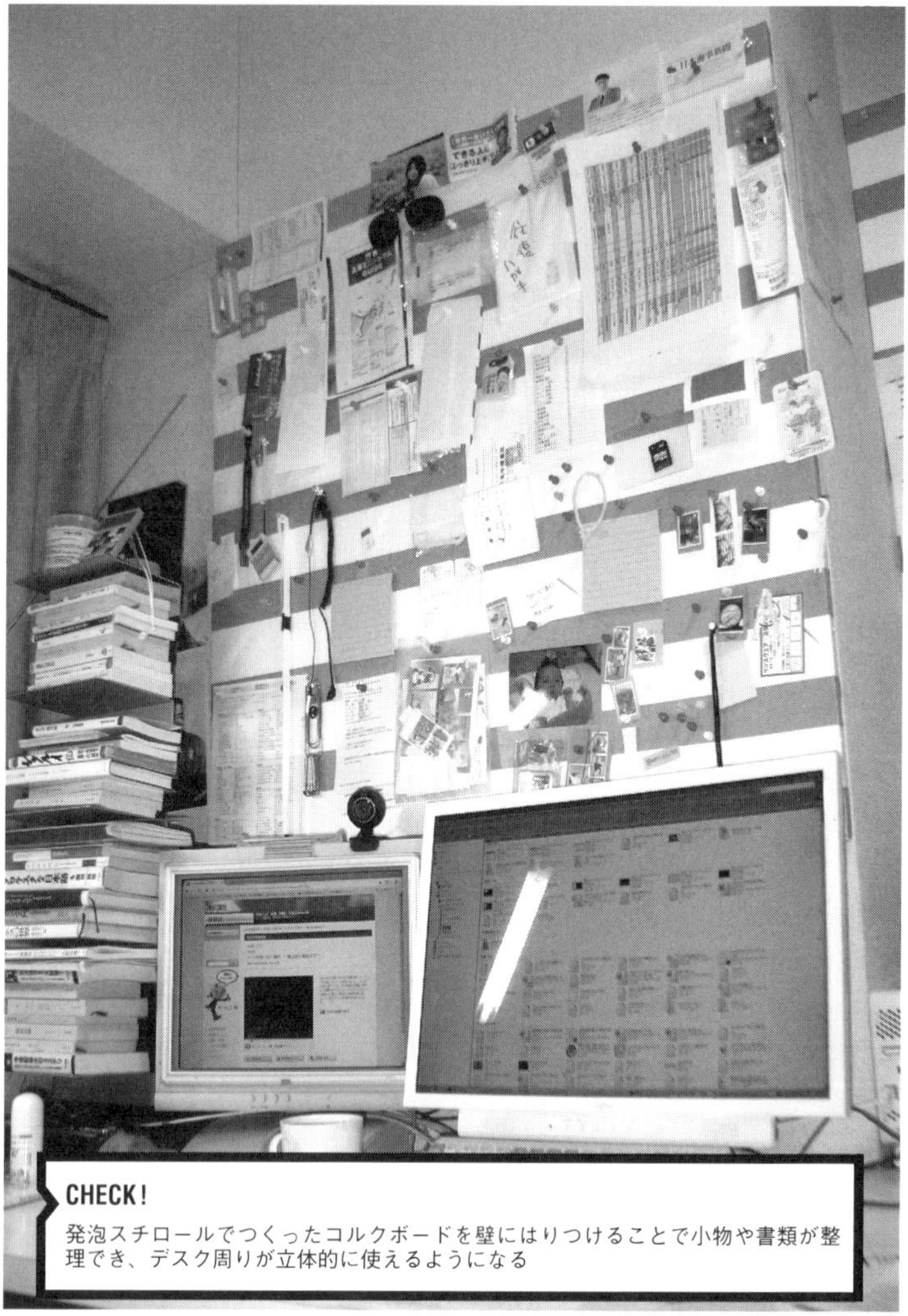

CHECK!

発泡スチロールでつくったコルクボードを壁にはりつけることで小物や書類が整理でき、デスク周りが立体的に使えるようになる

数日間考えたい書類や企画書の叩き台なども、とりあえず貼っておきます。そうすることで、ファイルにしまい込むより、目につくのでプレッシャーがかかる。

しかも、手を伸ばせばすぐに読めるので、自然と考えを深めることにもなります。折に触れてめくってみたりすることで、だんだんどう処理すればいいかわかってくることもよくあるのです。

ほかにも、僕は、次のようなモノまですべてピンで留めて整理しています。

メモ・ポストイット・未使用のハガキ・返事を書く手紙・メモリーカード・未使用の切手・レシート・領収書・ポイントカード・サービス券・標語・絆創膏・名刺・カレンダー・郵便料金表・USBメモリ・耳栓・輪ゴム・パンフレット・割引券・胃薬・パスポートのコピー・宅配便などの伝票の控え

これは、小物整理のための「苦肉の策」として始めたことですが、壁の面積をデスクにプラスできる効果は大きい。ワークスペースがものすごく機能的になりました。

少々、貧乏くさい気がするのが難と言えば難ですが、何でも片付けることができる、実用性は最高の整理法です。

To Do 61

「伝票刺し」を使って何でも刺して整理しよう

Results

メモや切り抜き、レシートが簡単に整理できる

「伝票刺し」ってありますよね。

ラーメン屋や喫茶店のレジによく置いてある千枚通しを取り付けた台みたいなヤツです。

実はあれは、使いようによっては、ファイルや書類ボックスに匹敵するような便利な整理ツールになるのです。

最大の利点は、必ず時系列に並ぶこと。

メモ用紙のほかに雑誌や新聞の切り抜き、領収書など、どんな紙でもとにかく伝票差しに刺していけば、順番が狂うことはありません。

下手にカテゴリ分けするより、**時系列で並べておいたほうが探しやすい**ものです。

たとえば、もらった伝言メモをただ机の上の伝票刺しに刺しておくだけで、「三日くらい前に受け取った電話のメモどこ行ったっけ?」というときでも、めくっていくことで、確実に目的のメモを見つけ出すことができます。

それに、刺しておけば、落としたり、間違って捨ててしまうこともない。パンチもハサミも糊も使わず、一瞬で整理できます。

普通は捨ててしまうようなメモでも、時系列にストックしておくことで意味を持つケースもあります。

以前、仕事で使ったTO DOリストを捨てずに溜め込んでいる同僚がいました。裏紙に二穴パンチで穴を開け、事務用の針金を通し、一冊の束にしているのです。

TO DOリストは日付を書いて、一日一枚を使う。これを時系列で並べておき、二重線で消されたTO DOリストをパラパラとめくってみることで

・最近どんな仕事に時間を使っているか
・先月につくった書類は何日くらいかかったか
・営業先に最後に訪問してからどれくらい経つか

と、時間と頭の整理ができる。つまり、**使用済みTO DOリストが業務日誌の代わりになる**のです。これならいちいち日記のたぐいをつける必要はありません。

僕の場合は、レシートや領収書のストック用に伝票刺しを使っています。

玄関に伝票刺しを置いておき、家に帰ったら、その日に得たレシートと領収書を裏向きにしてブスブスと刺しておく。で、ある程度溜まったら、裏返しにして針を引っこ抜く。

写真48

伝票刺しでレシートを整理

CHECK!
ただ刺していくだけで時系列に並ぶ

これで、過去から現在へ、紙は時系列にならんでいるわけです。

新聞や雑誌の切り抜きやレシート。領収書など、紙片を整理するのは、意外と手間や時間がかかります。パンチで穴を開けたり、糊とハサミでスクラップしたりしなければなりません。

伝票刺しを使って、整理にかかる時間や労力を節約することで、書類をつくったり文章を書いたりといった生産作業に時間を割けるようになります。

To Do 62

本棚に「廃棄待ちスペース」を作って定期的に本を捨てろ

Results

再読する「仕組み」で自分の考えが醸成される

本棚がギッシリ詰まっていると、本が取り出しにくくなって効率が悪い。

反対に、本棚にゆとりを持たせておけば、読み終わった本もスペースを探さずにさっと入れることができるし、参照も気軽にできます。蔵書をめくりながら考えるなど、出し入れしやすくしておくことで、本棚は知のインフラとしての本領を発揮します。

と、それはわかっているのに、本を整理するのはなかなか難しいものがありますよね。

その最大の理由は「捨てるのが難しい」ということでしょう。

困ったもので、本というのは、まず、使用済みか、使用前かの判断が難しい。

一年以上前に買って積ん読してある本が、ある日突然気になって引っ張り出して一晩で読む。前に読んであまりピンと来なかった小説でも、書評や解説を読んで、また再読したくなる。

こういうこともよくあって、どれが不要かはっきりしないのです。

さらに、名著や名作でない本ほど、捨ててしまうと、二度と手に入らないから非常にやっかいです。夏目漱石の本だったら、捨ててからまた読みたくなれば近所の本屋に行って文庫を買えばいい。でも、タレント本やビジネス書だと、そうはいきません。

だから、「いつでも再入手できるものは捨てる」という考え方でいくと、古典名著はすべて捨てて、残っている本は、雑誌やムック、タレント本や一時的なブームに乗った本、マイナーな本ばかりになる。これもなんだかマヌケです。

悩み出すとキリがありませんが、**死ぬまで本を溜め込むことは物理的に不可能**に近い。蔵書にかかるコストまで考えると、捨てるしかないことははっきりしています。

というわけで、完璧な方法を探すよりどこかで「折り合い」をつけるほうが賢い。

たとえば、僕が本を捨てるためのシステムとして採用しているのは、次のような方法です。

①本棚の一区画を「廃棄待ちスペース」とする
②本棚が詰まり気味になってきたら、再読しないような本を「廃棄待ち」に移す
③「廃棄待ち」が満杯に近づいてきたら、書誌情報をメモってから少しずつゴミに出す
（または古本屋に売る）

こうしておくと、捨てる本をすぐに手放すことにはならないので、気軽に「廃棄待ちスペース」に入れておくことができます。

ある本を探していて、もし「廃棄待ち」にあった場合は、今後も読むことを見越して、

図21 本棚の廃棄待ちスペースに一定期間置いて捨てる

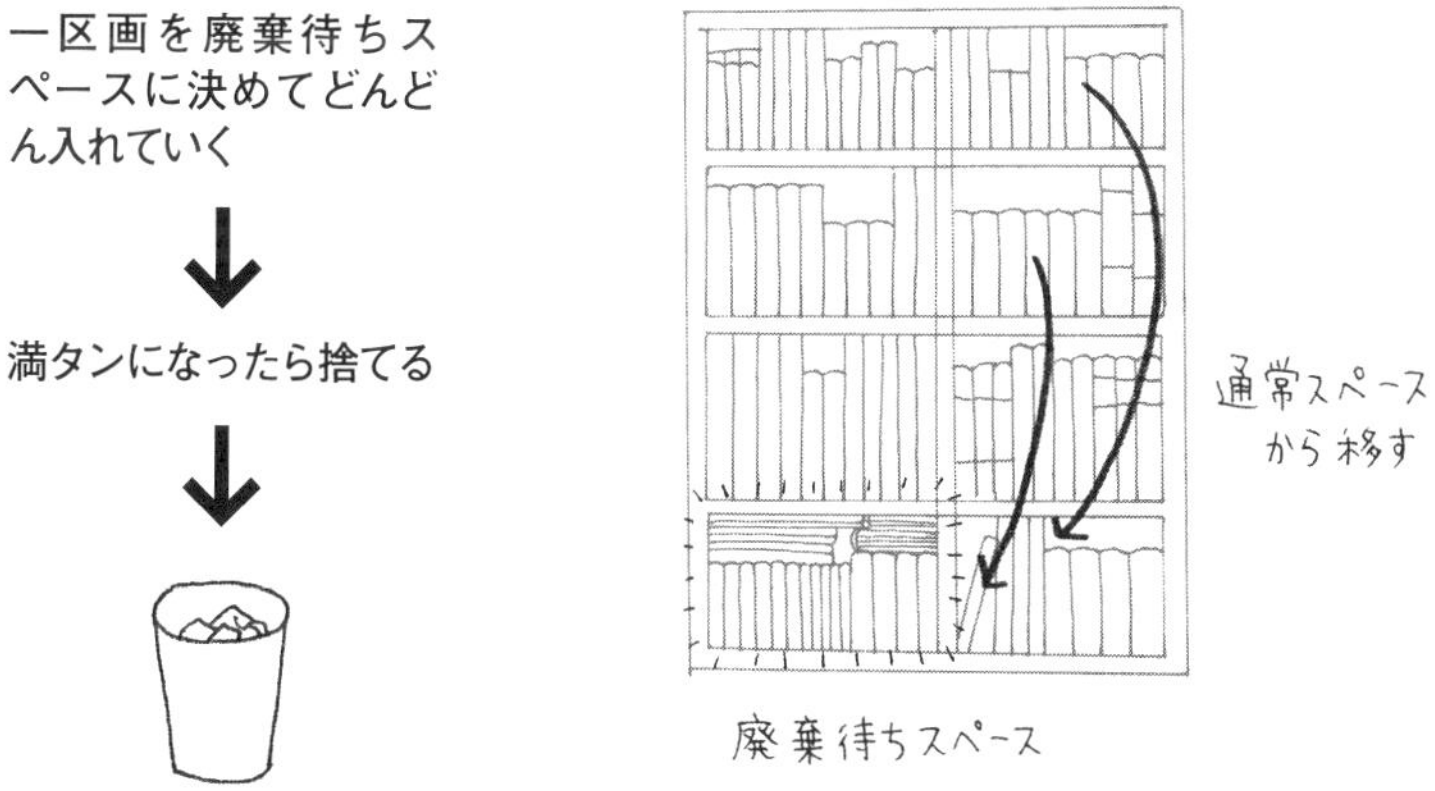
一区画を廃棄待ちスペースに決めてどんどん入れていく
満タンになったら捨てる
通常スペースから移す
廃棄待ちスペース

通常スペースに移しておく。こんな判断もできます。僕の経験上、一度気になって読み返す本は、また三度、四度と読みたくなることが多いので、捨てずに取っておいたほうがいいと思います。

さて、「廃棄待ち」から実際に本を捨てるときには、最悪、**買い直すことができるように、書誌情報をメモしておきます**。万が一、再入手したいときのための頼みの綱ですね。

書誌情報といっても大げさなものでなく、テキストデータで、

・本は「廃棄待ちスペース」で捨てなさい／オクノノブユキ／ダイヤ出版

と、書いておくだけです。情報は三点、

①タイトル②著者名③出版社名、ですね。著者名をカタカナにしておく理由は、あとで読みがなだけで検索できるようにしておくためと、人名を正しく漢字変換する手間が省けるからです。

作ったテキストデータは自分宛にメールしておけば安心です。

「廃棄待ちスペース」を使って本を積極的に捨てることは、知的生産を差別化する意味でも大きな効果があります。

まず、「廃棄待ち」に移す本を選ぶために、再読することになります。読みっぱなしになっていた本やかつての愛読書を引っ張り出して、パラパラとめくって「あっ、ここ、いいこと書いてあるんだよな」と、改めて本の中身に触れることになります。

そして、捨てていくうちに、本棚はだんだん「折に触れて読み直す本」「座右に置いておきたい本」だけが残って、自分で編集した音楽のベスト盤のようになってきます。

さらに、その中から捨てる本を選ぶことで、再読のきっかけにもなり、捨てた結果、

「いい本」だけが濃縮されてくる。

その**再読で得たエッセンスが知的生産の土台になる**のですね。

たとえば、僕は「本の読み方」の本が好きで、昔からよく買っています。しかし、すべてを保管しておくほど本棚のスペースに余裕はないので、いい本だけを選抜し、折に触れて読み返していました。そうやって、内容を頭に入れていたおかげで、「読書術の本を書

いてくれ」と編集者から頼まれたときにも、ずっと頭のどこかで考えていた「僕の読書術」を自分の言葉で書くことができました。

また114ページで紹介した「お手本本」も、「廃棄待ち」に移す本を見つくろっているときに、「これは参考に使える」と気がついて、残しておいたような本ばかりです。

自分の本棚を作ろうとすることは、自分にとって何が大事なのかを考えることにもつながります。どの本を捨てるか考えることで、自分の価値観や好きなことがわかってくる面があるのですね。

だから、何かのネタにするという目的がなくても、定期的にチェックして**「自分のベスト本棚」になるよう、定期的に「編集」する**べきだと思います。

特に古典は、内容を深く理解して、しっかり頭に入れておくために、何度も再読することが不可欠です。

読みっぱなしの本を保管しておくために本棚を買い増していくより、限られた本棚のスペースに空きをつくるために捨てる本を考えて選ぶほうが、知的生産の糧になります。

SKILL 9

空間の活用

――「場の力」を利用して快適に作業する――

To Do 63

防水グッズを活用して風呂場を書斎として使え

Results

ひとりの部屋がなくても自分に向き合う時間を持てる

「なかなかひとりになれる時間がない」

こんな悩みをよく聞きます。この間会った結婚を迷っている知人も、「自分の時間が持てなくなるのではないか」と言っていました。

なるほど、確かに住宅事情によっては、朝起きてから寝るまでずっと誰かと一緒になってしまうこともあるでしょう。

しかし、そんな人でも、必ずひとりになれる時間を持っています。

バスタイムです。

子育て中でもない限り、風呂はひとりで入るもの。

さらにいいことに、風呂には、パソコンやテレビなどの気が散るものがありません。長い間湯船に入っているとのぼせることを除けば、**何かに集中するのに理想的な環境**と言え

ます。

僕の場合は、よく本を読みます。司馬遼太郎の『翔ぶが如く』（文春文庫）は今第五巻を読んでいるところですが、ほとんど風呂で読み進めるので、ボロボロになっています。

また風呂の時間は、インプットだけでなく、アウトプットにも適しています。

個人的におすすめなのは、何か書き物をすることです。

読んでいる本や観たドラマの感想のほか、今日あったこと、明日の予定など、日記的なことでもかまいません。

とにかく、なんでもいいから思うことを書いてみる。

書類も手帳もカレンダーもない風呂の中では、**机に向かっているときとはまた違う案が出てくる**ものだからです。

「今日通りかかった寿司屋、おいしそうだったなあ」とか「会議のときちゃんと反論しておけばよかった」と、本当に気にかかっていることがふつふつと湧いてくる。

これを書き留めておけば「メールであの人を誘って行ってみよう」とか「明日課長に意志を伝えておこう」とか、具体的な行動につなげられる。

バスタイムは、本当の関心や興味から自分の行動計画を立てるチャンスになるのですね。

また、風呂場はアイデアがよく出るという面もあります。

一〇年近く前のことですが、テレビで作家の秋元康さんの仕事風景を見たことがあります。ホテルの部屋にカンヅメになって、ノートパソコンを叩く。ここまではおなじみの光景ですが、行き詰まると、何回もシャワーを浴びて、バスローブを羽織って出てくるのがユニークでした。

僕も、頭を洗っているときに、アイデアや言い回しがひらめくことが多いし、湯船につかっているときにはふと重要なことを思い出したりもします。

その理由はわかりませんが、たぶん、血行が良くなること、快適なこと、何も着ていないこと、情報が入ってこないことなどがあると思います。

とにかく、**風呂という「場」をうまく使えば、アウトプットが効率的にできる**こともある。このようなことは言えそうです。

この効果を生かして、風呂の中でメモをつくるという手があります。

風呂場で使える耐水メモ帳のメリットは、水に強いだけではありません。裏をちょっと濡らしてやると、風呂の壁や鏡に貼り付く。この性質を使えば、壁をデスクやホワイトボードのように使うことができるのです。

会議室でブレーンストーミングするように、風呂場の壁にアイデアメモを貼り付け、一望する。こうすることで、足りない要素や重複するアイデアが見えてくることもありま

図22 防水グッズを使えば風呂が書斎になる

写真49

風呂場でのメモ道具

CHECK!

LIFEのアウトドアメモと三菱鉛筆のパワータンクの組合せが一番

す。

さらに、防水モデルの携帯電話を持っているなら、風呂場に持ち込んで、思いつく限りのことをボイスメモとして録音していくという手もあります。これは、書くより話すほうが慣れている人には向いているでしょう。

アイデアをどう得るかの問題に、「こうすれば必ず出る」という解法はありません。日常生活でさまざまな体験をしたり、多様な情報に触れておく積み重ねが大事だからです。

ただ、インプットを重ねた上で、ぼんやりと思っていることを意識に上らせ、考えたり、紙に書いてカタチにしたりするひとつの「きっかけづくり」としては、「風呂でメモを書いてみる」という選択肢は使えます。

風呂でメモを書くときのペンとメモの組み合わせは、三菱鉛筆の加圧式ボールペン「パワータンク」とライフの「アウトドアメモ」がベストです。

To Do 64

風呂の中で書く日記のフォーマットを決めておこう

Results

構えずに淡々と毎日の出来事や感想を記録できる

前項では風呂の中を知的生産の作業場にする方法を紹介しました。

しかし、いきなり風呂で何か書こうとしても思いつかないケースもあると思うので、風

呂でやるおすすめのことを書いておきます。

それは、日記を書くことです。

とは言うものの、日記を書こうとしても、感受性が鈍って何も思いつかなかったり、陰鬱な気分になったりしていて、書けないときもあります。

だから、僕の場合は、そんな場合に備えて日ごろから「日記のフォーマット」に沿って書くことにしています。

僕が使っているフォーマットは、

①良かったこと、満足したこと、気持ち良かったこと
②嫌だったこと、ミスしたこと、反省点
③考えたこと、発見したこと、興味を感じたこと
④明日にすること、したいこと、目標

の四点を書いています。これを僕は「四点日記」と名付けて、たいてい風呂の中か枕元で、二、三分くらいかけて書いています。

「日記を書くぞ」と思っても、文章を構成するのは面倒なものですが、これならアンケートに回答するように、気軽に書くことができる。

しかも、**この質問項目ならば、特に意識しなくても、その日にしたことや起きたことといった「客観」と、自分の頭の中、感じたことといった「主観」の両方が含まれる**ことになります。主観を重視する「日記」と、客観を重視する「日誌」の中間のようなものができる、と言えばいいでしょうか。

たとえば、僕の最近の四点日記を見ると、こんなふうになっています。

①・企画書の骨子ができた
・探していた本が見つかった
・一五分で部屋の片付けができた
・久々につくったお好み焼きがおいしかった

②・宅配が連発で届いて腹が立った
・軽く晩酌のつもりが飲みすぎた
・待ち合わせに一五分遅刻した

③・ニンテンドーDSをしたら気が紛れて楽しかった
・朝食は食欲がなくても少し食べたほうが体が温まっていい

・各駅停車でアイデア出しをするととてもはかどる

④・朝イチでレンタルビデオを返す

・一滴も呑まない

・講演のレジメの項目出しを二時間で

このような他愛ないことでも列挙してみると、その一日の姿が浮き彫りになる。**四点日記が「ライフログ」的な機能を持つ**のがおわかりかと思います。

付け加えておくと、ここに挙げた四点は、僕が自分で考えてつくった「自分への質問」であり、

・**気分が乗らないときでも回答することができて**

・**一日を振り返って考えを深めるきっかけになって**

・**書き終わったあとに、充実した明るい気分になる**

という条件を満たしているものです。あくまで、僕が自分の性格に合わせてつくった項目なので、一例としてみてください。

必ずしも四点である必要はありません。時間をかけたくなければ三点にしてもいいで

しょう。自分が書きやすくなるように項目をアレンジしたり考案したりすると、より書く気が起こるようになります。

To Do 65

マウスはやめて「トラックボール」を使え

Results

デスク上のスペースを広くとれることで能率が上がる

さて、ここからは「知的生産の本拠地」としてのデスク上のスペースを考えてみます。パソコンが普及したことであおりを食ったものといえば、第一に机のスペースです。パソコン用デスクではなく、昔ながらの事務デスクを使っている会社では特にそうですね。キーボードだけでなく、マウスも場所を食っています。光学マウスがなめらかに動くようにマウスパッドを置くと、書類すら広げられなくなってしまう。

どうすれば、スペースを広くできるのでしょうか。

やはり、置いているモノのスペースを少しずつ詰めることですね。キーボードやマウスを取り払うことはできなくても、工夫すれば、書類やノートを広げるデスクトップのスペースを広めにすることはできます。

ひとつの方法は、マウスをやめて「トラックボール」にすることです。

トラックボールとは、埋め込まれた球体を指でコロコロ回して、カーソルを動かすデバ

イス。昔ノートパソコンによくついていました。マウスより値段が高いので、現在ではほとんど使っている人はいません。

ところが、これは**明らかにマウスよりすぐれたデバイスなのです**。

まず、指先以外動かさなくていい。

マウスだと、手首や腕を使ってマウスを操らなくてはならないけれど、トラックボールは、ボールを回す指先の動きだけですべて足ります。カーソルを画面の端から端まで動かすような場合でも、マウスのように「いったん宙に浮かせて戻す」なんてことはしなくていい。慣性を使ってボールをすーっと回転させてやれば一発です。

次に、省スペースなことです。

マウスは、手前と奥、左右に動かせるようスペースの余裕が必要です。でもトラックボールなら、そんなスペースは不要。極端な話、机に貼り付いていてもいい。マウスのように、それ自体を動かすことがないからです。

マウスしか使ったことがない人からすると、トラックボールはかなりヘンテコに見えるかもしれませんが、実際に使ってみると実に合理的なデバイスだとわかります。

問題はちょっと値が張ることでしょうか。僕が使っているロジクールの「トラックマン・ホイール　ＴＭ－２５０」は、アマゾンでは三五〇〇円で売られています（二〇一〇

年四月現在）。安物のマウスが三つくらい買える値段ですが、毎日使うデバイスの性能を高め、かつ机のスペースを得るためなら、払っても惜しくないはずです。

机のスペースが広いと、ノートを広げて、手書きしながら考えをまとめることができます。さらに、資料や参考文献を広げて比較したり、広げた本から引用したりするのも、やりやすくなる。

パソコンで作業していると、メモ書きや図の作成など、ついなんでもパソコン上でやろうとしてしまいがちです。

しかし、紙に書くのと入力するのとでは、やはり頭の働きは変わってくるもの。

パソコンを使っているときにも、**ノートやコピー用紙を広げておけるスペースを確保して、デジタルとアナログを適宜、切り替えながら作業を進めたほうが、行き詰まりは予防できます。**

写真50

トラックボールは省スペース

CHECK！

マウスのように腕を動かさなくていいので疲れにくいというメリットもある

To Do 66

キーボードを片付ける「立てかけ台」をデスクに置いておこう

Results

手書きとパソコンそれぞれのメリットを生かすことができる

トラックボールでマウスのスペースを節約しました。

次は、キーボードに取られているスペースを取り返しましょう。

省スペースなキーボードに変えるというのもひとつの手です。家電量販店に行けば、モバイルノート並みの外付けキーボードも売っている。とはいえ、やはり小さいと打ちにくい。

キーボード自体を小さくしようとするより、もっと簡単に省スペースを実現する方法があります。

使わないときにキーボードを立てておくことです。

これでデスクの手前で、書類やノートを広げるスペースができます。

僕は、一〇〇円ショップで買ったスチール製の「ブックチェア」を机に置いておき、キーボードを使わないときに立てかけています。領収書の整理や雑誌のスクラップ、大型本を読むときなど、机のスペースを使うときは、これにキーボードを立てかけて作業するわけです。単純なことですが、作業スペースが広くなるのはありがたい。

僕が使っている製品はメーカーがわからないので、ここで商品名を挙げることはできま

せん。

ただ、似たようなかたちのものは「書見台」や「展示スタンド」「ブックスタンド」といった名称で売られているので、探してみてください。

自分のデスクで快適に「紙とペン」の作業ができるということは意外と重要です。パソコンに向かってばかりだと、視点が固定されすぎるし、図や絵を交えて自由に考えをまとめることもできません。

また書類を読み込んだり、ミスがないかをチェックするときもスペースがあると便利です。モニタを見るより、プリントアウトしたものを机に広げ、赤ペンを持ったほうが、熟読してチェックできるでしょう。

さらに、パソコン作業の合間に、手書きメモを書いたり手作業をすれば、気分転換にもなります。

広い作業スペースは効率面でも精神面でも力強い味方になります。

写真51

使わないときはキーボードを立てかけておく

CHECK!

もともとは書籍を展示するための台らしい。100円ショップで購入

To Do 67

「作業に使える喫茶店」をリストアップして持ち歩け

Results

どこでも思い立ったときに作業スペースが持てる

さて次は、会社でも自宅でもない「第三の場所」について考えてみます。

仕事の効率だけでなく、気分も環境に左右される部分が多いもの。パッと見て、気持ちがいい空間を維持しておくことは、意外に大切なことです。

では、外はどうでしょう。あなたは会社のデスクや自宅以外に、自分が気に入った「居場所」を持っているでしょうか。

自宅や職場のほか、**モードを切り替えて、集中して作業できるスペース**を持っておけば、鬼に金棒です。

たとえば、喫茶店やレストラン、それにネットカフェのような時間借りのスペースですね。

休日になって、家で何かしようとしても結局だらだらしてしまいます。そんなときは場所を変えて気分を一新しましょう。

僕は、休日、街に買い物に出かけても、帰りに必ず一、二時間は喫茶店に行って、買った本を読んだり、読み終わった本の抜き書きをしたり、講演で話すことや本の企画を考えて、草案のメモをつくったりしています。

普段、デスクで仕事しているときは、何か生産的なことをしないといけないような気がして、リラックスしながら考えを巡らせるのは難しいものです。

でも、特にやることもない休みの日なら、あまり生産性を気にしなくてもいい。喫茶店に行って本や雑誌を読んだり、ノートを広げて、何か書いたりしているうちに、**仕事中は思い浮かばなかったような柔軟な発想が出てくる場合が多い**のです。だから僕は集中して執筆するときだけでなく、考えごとをするのにも喫茶店の「場の力」をフル活用しています。

仕事が終わったら、家の最寄り駅でネットカフェに立ち寄って、一、二時間、自分の仕事をしている友人がいます。仕事と家庭以外にこのような時間を持つことで、彼は、メルマガを書いたり公募にどんどんエントリーしています。

ほかにも、作家のJ・K・ローリングが、カフェに毎日のように通って『ハリー・ポッター』を書き上げたのは特に有名ですね。

通信機器やパソコンやプリンタなどの備品がそろっているより、かえって**「それ以外のことはできない場所」のほうが、アウトプットには向いています**。

仕事ができる人は、場所によるモードの切り替えをうまく行っている。

その点で、ふだんから「こもれる場所」をリストアップしておくことは、とても重要で

す。

「どこかで雑音を絶って作業したい」と思ったとき、少し歩き回るだけで、そう都合良く、雰囲気のいいカフェや静かなファミリーレストランが見つかるとは限らない。

だから、あらかじめ、執筆やアイデア出しに最適な喫茶店はリスト化して、手帳に資料として収録しておくわけです。

たとえば次のような、地域ごとのリストをつくっておくと、急に時間ができたとき、リストを見れば、どの店に行けばいいかがすぐにわかります。

■自宅周辺
・喫茶K（7：30－22）
・ミスタードーナツ（7－22）
・マクドナルド（24h）電
・ネットカフェS（24h）電
・カフェM（9－22）
・ガスト（8－5）
・ロイヤルホスト（9－2）

■S駅周辺
・サイゼリヤ（10－23）
■H駅周辺
・カフェS（7－21）
・ネットカフェP（24h）電
■M駅周辺
・レンタル自習室S（5－1）電
・カフェD（9－21）
・喫茶K（7－22）
・ネットカフェA（24h）電

実はこれは僕のリストです。

営業時間とノートパソコンの電源供給ができるかどうかも書いてリストアップし、手帳に貼っておきます。このような**調べようと思えばすぐ調べがつく情報ほど、いざ必要になったとき、跡形もなく忘れてしまっている**ものだからです。

あらかじめリストアップしておけば、探し回らず、ただその場所に行くだけでモードを

切り替えることができます。

To Do 68

書店のカフェスペースでアウトプット作業をしよう

Results

足りない情報や気になることがあればすぐアクセスできる

リストアップした喫茶店は、ほとんどはどこにでもあるファストフード店やファミリーレストラン、ネットカフェなどです。

ただそのなかにも、僕なりの評価ができていて、ここぞというときに使う「とっておきの場所」があります。何年も店から店へと渡り歩いた結果、わかったことです。本当は人に教えたくないのですが、読者だけにお伝えしましょう。

最高の作業スペースは「書店併設のカフェ」である。

これが結論。併設カフェとは、大型書店によくある、まだ会計していない本を持ち込んで読める喫茶コーナーのことですね。僕は、気を遣って読むのは嫌なので、買っていない本を持ち込んだことはありませんが、買った本はよくここで読みます。

実際に行ってみると、本を読んだり書き物をするのに最適なつくりになっているのが実感できると思います。もちろん、店舗によって狭かったりイスの高さが合っていなかったりということはありますが、自分なりの条件を満たすなら、ファミレスやカフェの短所を

カバーした、最高の作業空間と言えます。

カフェスペースのメリットを挙げておくと次のようになります。

まず、明るいこと。純喫茶は落ち着きを重視して照明を暗めにしているケースが多いのに対して、書店カフェは本が快適に読めるように、明るさがしっかり調整されています。

次に、机とイスが作業向きなことです。リラックスして会話を楽しむというよりは、本を読むために設置されているので、机とイスの高さ関係がちょどいい。カフェは、机が低すぎることがあります。

三点目は、そこそこ静かなこと。学生や主婦などのグループがまずいません。当たり前ですが、子供も来ない。そもそも、みんなひとりで来ているので会話している人も少ない。それでも、図書館のような息苦しさはないこともポイントです。

そして、これは意外と肝心なことですが、**思い立ったらすぐ本が買える**ことですね。アウトプットするときにはよく、足りない情報が浮かび上がってきます。

「ああ、これについて自分は何も知らないなあ」

「そう言えば、新聞広告で似たようなことを言っている本を見たっけ」

「前に見つけた企画書のつくり方の本を買ってみようかな」

というふうに。書店ならカフェスペースを出てすぐ「ビジネス文書」などの棚をチェックして買うことができるわけですね。集中した頭をクールダウンさせたかったら、雑誌や

マンガを買って帰りの電車で読むのもいいでしょう。

アウトプットの最中やその後には、何か読みたくなるもの。席を立てばすぐ本が買えるという状況は、気を楽にしてくれます。僕はよくこの方法で、勘を取り戻しながら書いています。

一度、地元の書店にあるカフェスペースをくまなくチェックしてみてはいかがでしょうか。「本を選ぶ」という本来の目的をあえて外して、よく観察してみれば、新たな利用法が見えてくるはずです。

To Do 69

休日に知的生産するときは、朝から大学の図書館に行こう

Results

雰囲気に染まることで集中して仕事に取り組める

「休日の仕事が成功するか否かは、図書館に行けるかどうかで決まる」と言う人がいて、「なるほど、うまいこと言うなあ」と思いました。

もちろん、リフレッシュするために休日はしっかり遊ぶのが理想ですが、やむを得ず、休日に書類や資料をつくったり調べものをしたりと、デスクワークをしなければいけない場合はあります。

そんなとき、家でゴロゴロしながら「昼になったら始めよう」「夕飯を食べてからやろ

「図書館に行ってくる！」
と家族に宣言して、着の身着のまま外出して、自分を図書館に幽閉してしまうほうが、きっちり仕事ができるというわけですね。確かに、「やらなきゃ」と思いながら家で中途半端に遊んでいるより、そのほうがよほどいい。

しかし、そうは言っても、「近所に図書館がない」「地元の図書館は老朽化してイスや机がガタガタする」「受験生や子供がしゃべっていてうるさい」という人もいるでしょう。

実は僕も公共図書館には大いに不満を持っています。「どこかに、いい図書館はないか。有料でもいいから」と思っていたくらいです。

そんなとき、思いついたのが、国公立大学の図書館を使うことです。

国立をはじめ都道府県・市立の図書館は、多くの場合、一般人の利用を認めています。

ただし「市内に住んでいる、または、市内に通勤している人に限る」などの条件があることが多い。これは各図書館のウェブサイトで「学外者の利用について」「一般利用者の方へ」といった項目を読んで、自分が利用できるかどうか調べてみてください。

大学図書館は、**公立図書館より静かで人も少ないし、夜間講義をしているキャンパスは、それに合わせて開館時間も長くなっています。**

また自分のパソコンで論文を書く学生が増えたからでしょうか、ノートパソコン用の電

源を使えるところも増えてきています。

大学の中には、生涯学習の一環として一般向けの講座を開くなど、一般人の利用を呼びかけているところもあります。自習や読書のために定期的に通えば、**見識を広められる講座やシンポジウムの情報も入ってきます。**

利用条件などを調べて活用すれば、有意義な週末が過ごせます。

To Do 70
自宅での作業用に「会議用テーブル」を使おう

Results

作業に適した広いワークスペースを低コストで実現できる

話を家の中に戻しましょう。

「書斎」という言葉もなんだか時代がかっていて妙な感じですが、とにかく、自宅でなんらかの仕事ができるスペースを確保しておくことは大切です。

やむを得ず持ち帰る仕事だけでなく、家計簿をつけるにしろ、本を読んだり手紙を書いたりするにしろ、何かにつけて机とイスは必要でしょう。

書店に行くと「書斎インテリア」の本が売っています。防音の地下室でジャズを楽しんだりしている人がいて、うらやましい。しかし、このようなラグジュアリーな「書斎」を実現するにはかなりカネがかかります。

本書の読者のように、自分の能力を開発したい人に必要なのは、もっと低コストで実現できて実用的な場所、つまり**「書斎」というより「作業場」**と呼んだほうが適切でしょう。

作業場として一番便利なのは、食卓です。食事が終わった後に片付けて、パソコン作業をしたりするわけですね。デスクよりはるかに大きいので、作業効率も上がります。

しかし、実際は食事の後も、家族がテレビを見たりして、静かに作業するには向かない。

こういった場合に、僕が提案したいのは「会議用テーブル」を買っておくことです。

誰でも一度は見たことがあるでしょう。会議用テーブルとは、会議室や研修所でおなじみの長いテーブルです。

これを必要に応じて、組み立てて使うのです。使わないときは、足をたたんで壁に立てかけておけば、スペースも取りません。

それに「楽天」では一万円から三万円くらいと、普通のデスクよりだいぶ安い。

僕も自宅で会議用テーブルを使っています。パソコンのモニタが近くなるのは嫌なので、奥行きは六〇センチ、幅一八〇センチのモデルを買いました。もう三年近く使っていますが、満足しています。

一番ありふれた幅一八〇センチ×奥行き四五センチの会議用テーブルは、奥行きが狭す

写真52

自宅で使っている会議用テーブル

CHECK!

会議用テーブルは仕事や料理、DIYなど何にでも使えて便利

ぎて、パソコンを使うには向いていないと思います。

幅一八〇センチは大きすぎると思うかもしれませんが、パソコンの本体を置いたり、本を積んでおいたり、読みかけの書類や本を広げたままにしておくのには、広いほうが便利です。

作業スペースを折りたたみテーブルにすれば、家の中でも邪魔にならず広いワークスペースが取れます。参考文献や資料、書類を広げて作業することで、能率も上がるのです。

To Do 71

自宅のリビングでは「ラップデスク」を活用しろ

Results

ソファーや車内でもリラックスしながら知的生産できる

ソファーに座っていて「ちょうどいい高さの机があればいいのに」と思うことはないでしょうか。

テレビや映画を見ているとき、急に、思い浮かんだことを書いておきたくなる。でも、わざわざ移動するのは面倒だし、膝の上で書くのもなんだか疲れる。

また書類に目を通しておかねばならないが、机に向かうのは嫌だ。ソファーでリラックスしながら読みたい、というときもあります。

こういうときに備えて、家に「ラップデスク」を用意しておくと重宝します。

ラップデスクとは、膝の上で書き物や作業ができる板のこと。天板の下にビーズ入りクッションが付いていて、ちょうどカマボコを逆さまにしたような形をしています。

これを膝の上に載せると、膝の凹凸に対応してクッションの形が変わることで、ちょうどいい高さの安定した面になる。ノートパソコンを置いてもいいし、小さなサイズなら参考書とノートも一緒に広げられます。

ソファーでは、普通、本を読むかテレビを見るかという、インプットの行動しかできません。ところが、ラップデスクを使えば、メモ作成やパソコン入力といったアウトプット

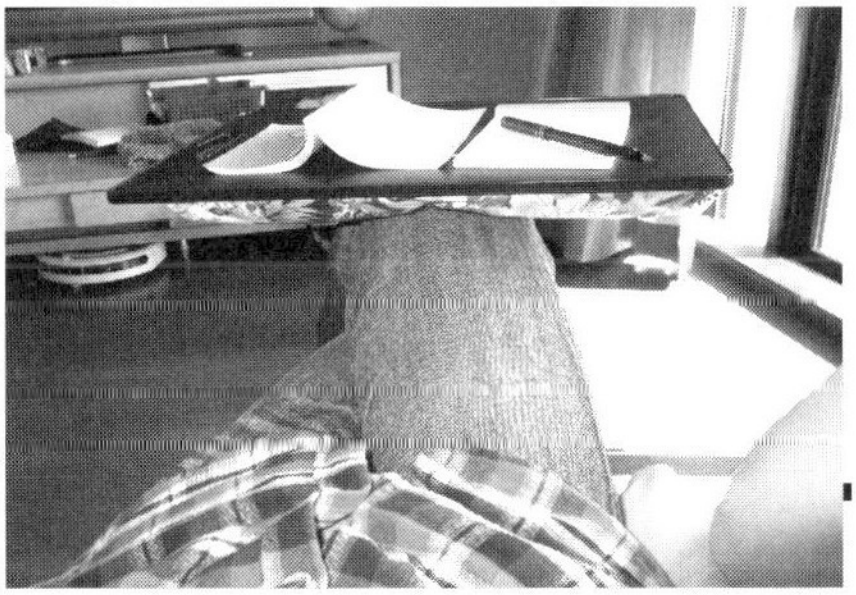

写真53

ラップデスクを使う

CHECK！

組んだ足の上でも安定している。これで膝の上もワークスペースになる

の作業ができるようになるのです。

医師の日野原重明さんも愛用しているようです。クルマの後部座席に座り、ラップデスクの上で仕事をしているのを雑誌で見ました。自動車やソファー以外にも、ベッドの上や和室など、使えるシチュエーションはたくさんあります。

ウェブで「ラップデスク」か「ラップトップデスク」を検索するといろんな種類のものが出てます。ノートパソコンが固定できるもの、ドリンクホルダーの付いたもの、作業用のライトが付いたものなど、膝上での作業を想定して、いろいろなバージョンが考案されているようです。

ラップデスクは、**リラックスした空間に、能動的な作業を持ち込むため**の工夫です。

たとえば、ソファーで本を読んでいるとき、急に思いついた仕事のアイデアを書きたくなったとか、紅茶を飲んでいるとき、明日会う人に聞いておいたほうがいいことを列挙したくなったとか、**弛緩した状態の中に突然湧いてくる「ちょっとしたアウトプットの欲求」**を、「今はいいや」と逃すこと

なく、しっかり生かし切ることができます。

To Do 72

ここぞというときは「立ち机」で作業しろ

Results

「短期決戦モード」に切り替えることで仕事が一気に片付く

前項ではくつろぎながらのアウトプット方法を紹介しましたが、ソファーにもたれているような状態での「ながら作業」は、メモや下書きなど、それなりのことしかできないのも事実です。

企画書や文章など、きっちりしたアウトプットをする場合は、リラックスして作業するより、やはり居住まいを正して、集中して一気に片付けたほうがいい。

明日提出する企画書を今晩中につくらなければ！

こんなとき、ソファーに座ってちんたら作業していても終わりません。

椅子に座ったら、きっと眠くなる。

より集中するにはどうすればいいのでしょう。

一番いい方法は、立ったまま作業することです。

デスクより三〇～四〇センチくらい高めの「立ち机」で、一～二時間くらい作業するわけですね。

立ち机は日本ではほとんど見かけないけれど、海外ではよく知られた存在です。ゲーテやトルストイ、ヘミングウェイといった作家も使っていたし、近年では米国のラムズフェルド元国防長官が執務をすべて立ち机で行っていることを新聞で知りました。

立って仕事する。

こう書くと、運動不足の解消に役立つとか、そんなことを考えるかもしれませんが、そんなに疲れるものではありません。

一番大きなメリットは、効率が上がることです。

立っていることは、何かをしているということです。能動的な体勢であり、軽い緊張感があります。**座っているときに無為な時間を過ごすことはあっても、立っていてはできない。**

このことが、アウトプットにはちょうどいいのですね。僕の場合、立った姿勢でパソコンに向かって文章を書くときは、**タイピングまで速くなります。**

しかも、眠くなることはまずない。その場で足踏みしたり、片足立ちになったり、もたれかかったりできるので、座っているときのような「動けないストレス」もありません。

と、ここまで説明しておいて言うのもなんですが、実は、立ち机はほとんど売っていません。僕も、「楽天」や家具屋さんをときどきのぞいているけれど、見たことがない。

では、どうするか。

まずは、自宅にちょうどいい高さの面がないか探してみてください。

僕の場合は、キッチンカウンターをよく使います。置いてある魔法瓶やボウルを片付けて、必要な資料とノートパソコンを置く。

これだけで、横長の立ち机として使うことができます。自宅のキッチンカウンターは高さが一〇〇センチくらいで、デスクより三〇センチくらい高い。机に下駄を履かせたりしなくても、より自然な形で、立ち作業ができるわけです。

自宅にキッチンカウンターがない人は、出窓や下駄箱の上などをチェックしてみてください。

もしちょうどいい高さの場所がなくてもいい方法があります。

写真のように、**デスクの上に座卓を載せれば、簡単にちょうどいい高さの立ち机ができる**のです。

写真54 **自作の「立ち机」**

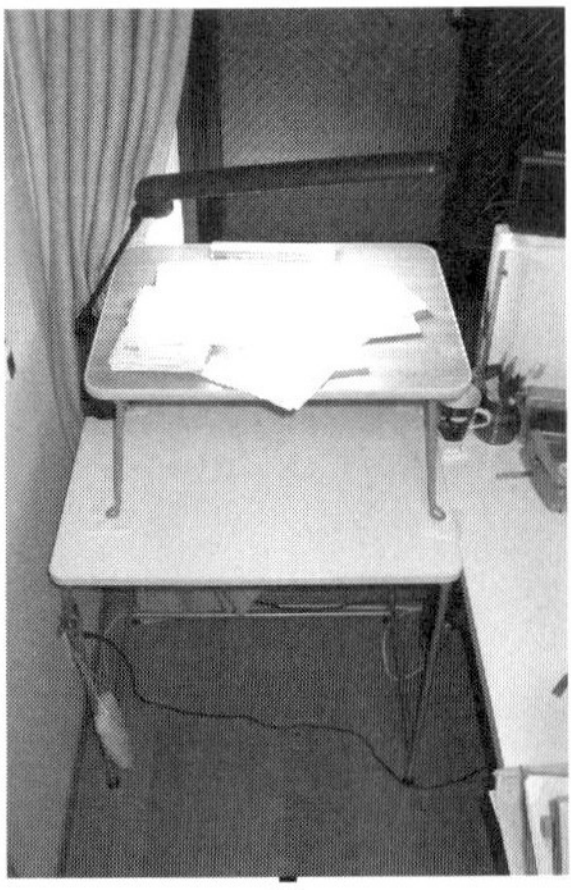

CHECK!

デスクの上に座卓を載せれば、
即席の「立ち机」ができる

写真では、高さ七〇センチのデスクの上に、近所のホームセンターで一五〇〇円で売られていた折りたたみ式の座卓を重ねています。座卓の高さは三〇センチで、天板は下のデスクよりやや小さめです。座卓の足とデスクの天板との間に、ゴムの滑り止めマットを噛ませておくと、より安定して、使い心地が良くなります。

この方法なら、普段は座卓をしまっておき、立って作業したくなったときだけ、座卓を載せ、**「即席立ち机」**として使うことができます。座卓の下に、本や書類を積んでおくこともできます。

いつも座ってやっている仕事を、立って一気に片付ける。つまり、**姿勢からモードを切り替える**ことを「技」として覚えておけば、切羽詰まったときでも、「よし、立ち机でやろう」と、気を持ち直して切り抜けることができます。

To Do 73

ストレスを感じたら、何も読むな。夜空を見よう

Results

目と頭を強制的にオフにして、リラックスさせる

最後のワークアウトは、「ストレスにどう対処していくか」です。

これは大きな問題ですね。

仕事をしている人の悩みとは、ミスをして誰かに迷惑をかけたり、成績が下がったり、

上司が嫌なヤツだったりといった、目に見える問題ではなくて、むしろ、

「仕事しているときも休日も楽しめない」

「なんとなく毎日が充実しない」

「休みの日も仕事のことを考えてリラックスできない」

といった、どこか漠とした気分やメンタル面によるものが多いような気がします。

また、こういった悩みをこじらせて精神が不安定になる人も多い。

実は、僕もストレスを感じやすいタイプです。ちょっとしたことでもイライラするし、逆に気持ちが沈むことも多い。それによく悩む。

ところが、大学のころにある本を読んで、コツをつかんで以来、比較的うまく感情をコントロールできるようになりました。

これは僕が、あらゆるストレス対処法の中でも、まさに神髄だと思っていることです。少し長くなりますが引用しておきましょう。


憂鬱な人に言いたいことはただ一つ。「遠くをごらんなさい」。憂鬱な人はほとんどみんな、読みすぎなのだ。人間の眼はこんな近距離を長く見られるようには出来ていないのだ。広々とした空間に目を向けてこそ人間の眼はやすらぐのである。夜空の星や水平線をながめている時、眼はまったくくつろぎを得ている。眼がくつろぎを得る

時、思考は自由となり、歩調はいちだんと落ち着いてくる。全身の緊張がほぐれて、腹の底まで柔らかくなる。自分の力で柔らかくしようとしてもだめなのだ。君の意志が君の中にあって、君に対して注意を払い、すべてをあらぬ方へ引っ張り、しまいには自分の首をしめてしまう。自分のことなど考えるな、遠くを見るがいい。（『幸福論』アラン／神谷幹夫訳／岩波文庫／１７２ページ）

読まない。遠くを見る。自分のことを考えない。

ストレス対処法の本はいくらでもありますが、これ以上的確なアドバイスは聞いたことがありません。

ポイントは、画面や書類、本を見る代わりに、星や水平線を見ることでしょう。意志の力で「読まないようにしよう」「考えないようにしよう」と思うだけでは、無意識のうちにまた新聞を広げたりしてしまう。読まないと決めるだけでは不十分で、本やモニタの代わりに関心を向かわせる「代替物」が要るわけですね。

この「**やめたいことがあったら何かと代替する**」という考え方は、ほかにも応用が利きます。

たとえば、悩みが止まらなかったら、スポーツをする。またはドライブする、映画館に行く、集中力が必要なアクション系のテレビゲームをするなど、要するに、悩みながらで

はできないような、頭がいっぱいになる行為をする。

僕の場合は、マンガや映画です。映画館はお金を払うので、集中しようという気になるし、大画面と大音響の効果で、一時間程度は確実に悩みがどこかへ行ってしまいます。**いったん忘れてからまたその問題を考え出すと、まったく大したことがない問題に思えたり、それまで考えもしなかったような解決の糸口が見つかることも多い**のです。

遠くを見て、目と心を強制的に休ませてから、虚心坦懐に仕事に手をつけ直すと、悩みと同じように、さっきまで「大変だ」と思っていたような仕事でも、すんなり終わらせられることがあります。知らないうちに視野狭窄になっている場合でも、リフレッシュして柔軟な考え方が取り戻せるのです。

おわりに

「仕事のできる人や、話で人を引きつけることができる人は一体、何が違うんだろう」

「あの人はアウトプットで大きな価値を生めるのに、なぜ自分は同じツールを使っても、同じことができないんだろう」

僕が「知的生産」について考え始めたきっかけは、こんな疑問でした。

世間には、息を吐くように「価値のある情報」を作れるすごい人がいます。

でも、そんな人たちだって、ものすごく特別な体験をしているわけではない。たいていは、普通の素材から「価値のある情報」を作っているに違いないのです。

そうならば、その能力は、ほとんど錬金術みたいなものじゃないか？

「知的生産」の力こそ、どんな資格や経験も超える最強のスキルだ！

本書で紹介した「知的生産ワークアウト」は、長年続いている僕のこんな思い入れの結果として生まれたものです。

「知的生産」ということの性質上、個人的な話が多くなったものの、読者の参考になる部

分は必ずあったと思います。

僕が「ワークアウト」を作った動機である「すごい人に追いつきたい」という気持ちは誰でも持っているし、自分のアウトプットやコミュニケーションの能力に不満を感じている人も多いでしょう。誰でも多かれ少なかれ、僕と同じような問題意識があると思うからです。

そんな意味で、読者のみなさんがこの本を読んで、僕の「ワークアウト」を取り入れてみるほかに、

「こうしたらもっと効果が上がるんじゃないか」

「もっと自分の性格に合わせてメニューをアレンジしたほうがいいな」

「ノウハウは参考にとどめて、自分は自分のやり方で行くぜ」

と、「自分の知的生産」を見直すきっかけになれば、著者としてうれしく思います（いい方法があればぜひ教えてください）。

これまでもそうだし、これからもきっと知的生産の方法に模範解答はありません。情報端末やウェブサービスの進化によって、情報収集やアウトプット、時間管理、空間管理も、もっともっと簡単になるかもしれません。

しかし「あなたがその価値を独り占めできる情報を生み出すことができるのは、あなたの頭の中だけ」ということは、今後も変わらないでしょう。

そのためには、飽かずうまず、創意工夫を続け、知的生産の課程とトレーニングを楽しんでいくことが何より大事だと思います。

今回もみなさんのご助力で、刊行にこぎ着けることができました。

担当の高野倉俊勝さん、エージェントの宮原陽介さん、企画から原稿修正まで、何度もアドバイスを頂きありがとうございました。デザイン会社のタイプフェイスのみなさん、今回もお世話になりました。

ほかにもヒントをくれた関係者の皆様、参考文献の著者の方々、そして読者のみなさん、最後までお読みいただき、本当にありがとうございました。

奥野宣之

［著者］
奥野宣之（おくの・のぶゆき）
1981年大阪府生まれ。同志社大学文学部を卒業後、出版社、業界紙を経て、『情報は1冊のノートにまとめなさい』（ナナ・コーポレート・コミュニケーション）で著作デビュー。メモやノートの活用法から発想術、読書術、情報収集と活用まで、わかりやすく書き下ろした著書は若手ビジネスパーソンを中心に支持を集め、累計50万部を超える。
記事や著作の執筆、書評、講演活動のかたわら、独自に編み出した文章や企画を作る方法論、日常的なトレーニング法などを、仕事力アップのための「知的生産ワークアウト」として広く発信している。情報整理関連の著作では、ほかに『情報は「整理」しないで捨てなさい』（ＰＨＰ研究所）がある。作家のエージェント、アップルシード・エージェンシー所属。

著者エージェント　アップルシード・エージェンシー
http://www.appleseed.co.jp

仕事の成果が激変する
知的生産ワークアウト

2010年5月27日　第1刷発行

著　者——奥野宣之
発行所——ダイヤモンド社
〒150-8409　東京都渋谷区神宮前6-12-17
http://www.diamond.co.jp/
電話／03·5778·7236（編集）03·5778·7240（販売）
装丁————渡邊民人（TYPE FACE）
本文デザイン—二ノ宮　匡（TYPE FACE）
イラスト——須山奈津希
製作進行——ダイヤモンド・グラフィック社
印刷————勇進印刷（本文）・加藤文明社（カバー）
製本————本間製本
編集担当——高野倉俊勝

ISBN 978-4-478-01331-1

とです。

外国語を習得したり、難関資格を取れば、少なくとも人材としての価値はアップするし、「あの人ってすごい」と一目置かれる。そこからさらに、ＭＢＡ（経営学修士）を取るために留学したり、もっと大きくて安定した会社に転職する、ということもありえます。

ところが、これは簡単なことではありませんよね。いや、長期間、強い意志を保つことができなければ、まず無理と言っていい。

勉強には膨大な時間と労力がかかる。それに資格があっても生かせる仕事があるかどうかはわからない。転職や留学には、運や人脈など、自分の力ではどうにもならないことも影響してきます。

「それができれば苦労はしない！」というのが多くの人の反応でしょう。

では、どうすればいいのか。

僕は、**勉強や留学、転職よりも、もっと安全かつ確実で、見返りの大きい道がある**と思っています。

それは**「知的生産力を高めること」**です。

はじめに

なぜ、すべてのビジネスパーソンに「知的生産力」が必要なのか

「同期やほかのチームよりもいい結果を出したい」

「会議やミーティングで、みんなに賛成してもらえるような妙案を出したい」

「社内だけでなく、社外でも一目置かれる人になりたい」

こんな悩みや希望を持っている人は多いと思います。

一体どうすれば、ビジネス人として「牙」を研ぐことができるのでしょうか。

また近頃は不況のせいで、給料ダウンやリストラ、倒産の話が後を絶ちません。

不安定な経済情勢でも、仕事を失わずに、少しずつでも稼ぎをよくしていくには、どうすればいいのでしょう。


こう考えたとき、すぐに思いつくのは、仕事の時間外に語学や業務知識の勉強をするこ

仕事の成果が激変する

知的生産ワークアウト

あなたが逆転するための73のメニュー

奥野宣之

ダイヤモンド社